력 GO!

GO! 매쓰

Jump
유형 사고력

수학 3-2

GO! 매쓰 Jump

차례

구성과 특징

1 핵심 개념 정리

단원별 핵심 개념을 간결하게 정리하여
한눈에 이해할 수 있습니다.

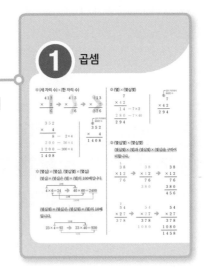

2 대표 유형 익히기

단원별 사고력 문제의 대표 유형을 뽑
아 수록하였습니다. 단계에 따라 문제를
해결하면 사고력 문제도 스스로 해결할
수 있습니다.

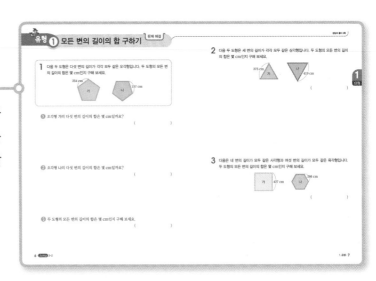

3 사고력 종합평가

한 단원을 학습한 후 종합평가를 통하
여 단원에 해당하는 사고력 문제를 잘
이해하였는지 평가할 수 있습니다.

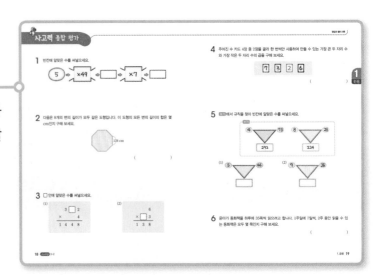

1 곱셈

❀ (세 자리 수) × (한 자리 수)

$$
\begin{array}{r}
4\,1\,3 \\
\times \quad 2 \\
\hline
6
\end{array}
\;\Rightarrow\;
\begin{array}{r}
4\,1\,3 \\
\times \quad 2 \\
\hline
2\,6
\end{array}
\;\Rightarrow\;
\begin{array}{r}
4\,1\,3 \\
\times \quad 2 \\
\hline
8\,2\,6
\end{array}
$$

$$
\begin{array}{rl}
3\,5\,2 & \\
\times \quad 4 & \\
\hline
8 & \cdots\;2\times4 \\
2\,0\,0 & \cdots\;50\times4 \\
1\,2\,0\,0 & \cdots\;300\times4 \\
\hline
1\,4\,0\,8 &
\end{array}
$$

십의 자리에서
올림한 수
$\overset{2}{}$

$$
\begin{array}{r}
3\,5\,2 \\
\times \quad 4 \\
\hline
1\,4\,0\,8
\end{array}
$$

❀ (몇십) × (몇십), (몇십몇) × (몇십)

(몇십) × (몇십)은 (몇) × (몇)의 100배입니다.

(몇십몇) × (몇십)은 (몇십몇) × (몇)의 10배
입니다.

$$
23\times4=92 \;\Rightarrow\; 23\times40=920
$$
10배

❀ (몇) × (몇십몇)

일의 자리에서
올림한 수
$\overset{1}{}$

$$
\begin{array}{rl}
7 & \\
\times\;4\,2 & \\
\hline
1\,4 & \cdots\;7\times2 \\
2\,8\,0 & \cdots\;7\times40 \\
\hline
2\,9\,4 &
\end{array}
$$

❀ (몇십몇) × (몇십몇)

(몇십몇) × (몇)과 (몇십몇) × (몇십)을 구하여
더합니다.

$$
\begin{array}{r}
\overset{1}{3}\,8 \\
\times\;1\,2 \\
\hline
7\,6
\end{array}
\;\Rightarrow\;
\begin{array}{r}
3\,8 \\
\times\;1\,2 \\
\hline
7\,6 \\
3\,8\,0
\end{array}
\;\Rightarrow\;
\begin{array}{r}
3\,8 \\
\times\;1\,2 \\
\hline
7\,6 \\
3\,8\,0 \\
\hline
4\,5\,6
\end{array}
$$

$$
\begin{array}{r}
\overset{2}{5}\,4 \\
\times\;2\,7 \\
\hline
3\,7\,8
\end{array}
\;\Rightarrow\;
\begin{array}{r}
5\,4 \\
\times\;2\,7 \\
\hline
3\,7\,8 \\
1\,0\,8\,0
\end{array}
\;\Rightarrow\;
\begin{array}{r}
5\,4 \\
\times\;2\,7 \\
\hline
3\,7\,8 \\
1\,0\,8\,0 \\
\hline
1\,4\,5\,8
\end{array}
$$

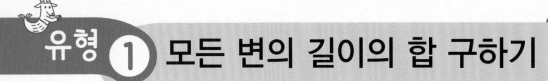

1 다음 두 도형은 다섯 변의 길이가 각각 모두 같은 오각형입니다. 두 도형의 모든 변의 길이의 합은 몇 cm인지 구해 보세요.

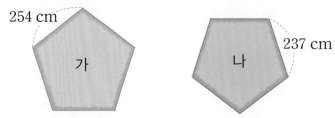

254 cm

237 cm

가

나

❶ 오각형 가의 다섯 변의 길이의 합은 몇 cm일까요?

(　　　　　　　　)

❷ 오각형 나의 다섯 변의 길이의 합은 몇 cm일까요?

(　　　　　　　　)

❸ 두 도형의 모든 변의 길이의 합은 몇 cm인지 구해 보세요.

(　　　　　　　　)

2 다음 두 도형은 세 변의 길이가 각각 모두 같은 삼각형입니다. 두 도형의 모든 변의 길이의 합은 몇 cm인지 구해 보세요.

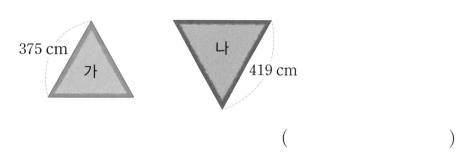

(   )

3 다음은 네 변의 길이가 모두 같은 사각형과 여섯 변의 길이가 모두 같은 육각형입니다. 두 도형의 모든 변의 길이의 합은 몇 cm인지 구해 보세요.

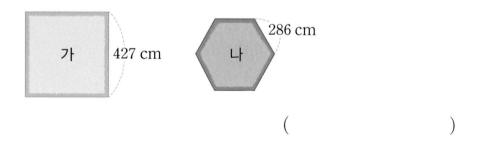

(   )

1 공원에 세발자전거 25대와 두발자전거 89대가 있습니다. 공원에 있는 세발자전거의 바퀴 수와 두발자전거의 바퀴 수의 차는 몇 개인지 구해 보세요. (단, 세발자전거 한 대의 바퀴는 3개이고 두발자전거 한 대의 바퀴는 2개입니다.)

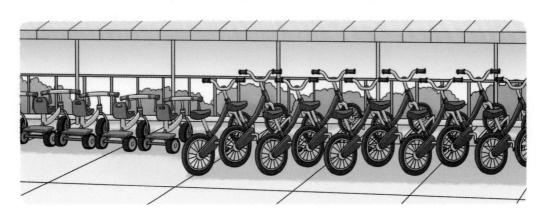

❶ 세발자전거 25대의 바퀴는 몇 개일까요?

(   )

❷ 두발자전거 89대의 바퀴는 몇 개일까요?

(   )

❸ 공원에 있는 세발자전거의 바퀴 수와 두발자전거의 바퀴 수의 차는 몇 개인지 구해 보세요.

(   )

2 농장에 소 43마리와 닭 57마리가 있습니다. 농장에 있는 소의 다리 수와 닭의 다리 수의 차는 몇 개인지 구해 보세요. (단, 소 한 마리의 다리는 4개이고 닭 한 마리의 다리는 2개 입니다.)

(   )

3 주차장에 오토바이 55대와 승용차 36대가 있습니다. 주차장에 있는 오토바이의 바퀴 수와 승용차의 바퀴 수의 차는 몇 개인지 구해 보세요. (단, 오토바이 한 대의 바퀴는 2개이고 승용차 한 대의 바퀴는 4개입니다.)

(   )

규칙 찾기

추론

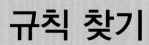

1 보기 에서 규칙을 찾아 빈칸에 알맞은 수를 써넣으세요.

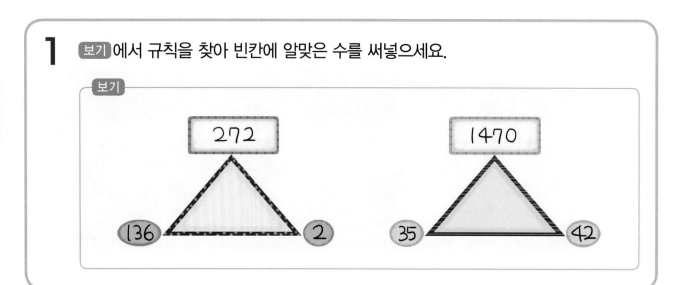

보기

272
136   2

1470
35   42

❶
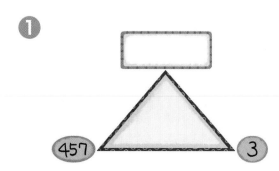
457   3

❷
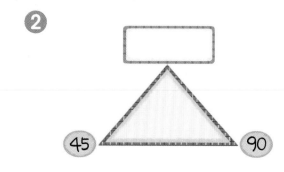
45   90

❸
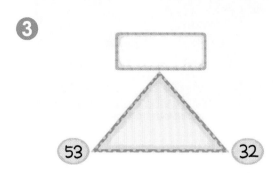
53   32

❹
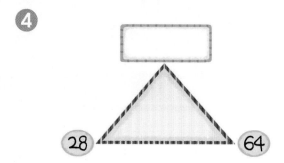
28   64

2 보기 에서 규칙을 찾아 빈칸에 알맞은 수를 써넣으세요.

보기

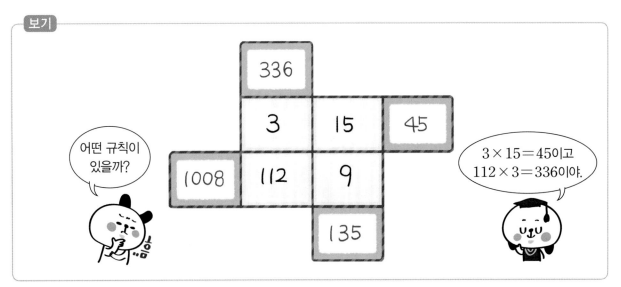

어떤 규칙이 있을까?

$3 \times 15 = 45$이고 $112 \times 3 = 336$이야.

❶

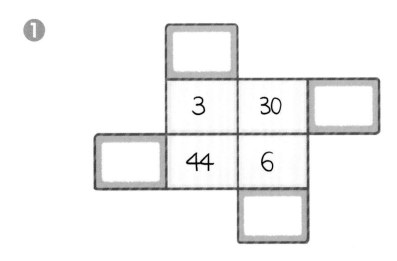

❷

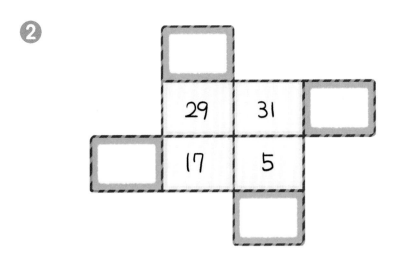

유형 ④ 바르게 계산한 값 구하기

문제 해결

1 두 친구의 대화를 읽고 바르게 계산한 값을 구해 보세요.

❶ 어떤 수를 □라 하고 잘못 계산한 식을 세워 보세요.

식

❷ 어떤 수를 구해 보세요.

( )

❸ 바르게 계산한 값을 구해 보세요.

( )

2 어떤 수에 15를 곱해야 할 것을 잘못하여 빼었더니 72가 되었습니다. 바르게 계산한 값을 구해 보세요.

(   )

3 어떤 수에 9를 곱해야 할 것을 잘못하여 더했더니 416이 되었습니다. 바르게 계산한 값을 구해 보세요.

(   )

4 어떤 수에 48을 곱해야 할 것을 잘못하여 더했더니 80이 되었습니다. 바르게 계산한 값을 구해 보세요.

(   )

1 길이가 248 cm인 색 테이프 7장을 8 cm씩 겹치게 이어 붙였습니다. 이어 붙인 색 테이프의 전체 길이는 몇 cm인지 구해 보세요.

248 cm　　　248 cm　　　248 cm
8 cm　　　8 cm
......

❶ 이어 붙이기 전 색 테이프 7장의 길이의 합은 몇 cm일까요?

(　　　　　　　　　)

❷ 겹쳐진 부분은 모두 몇 군데일까요?

(　　　　　　　　　)

❸ 겹쳐진 부분의 길이의 합은 몇 cm일까요?

(　　　　　　　　　)

❹ 이어 붙인 색 테이프의 전체 길이는 몇 cm인지 구해 보세요.

(　　　　　　　　　)

2 길이가 43 cm인 색 테이프 25장을 4 cm씩 겹치게 이어 붙였습니다. 이어 붙인 색 테이프의 전체 길이는 몇 cm인지 구해 보세요.

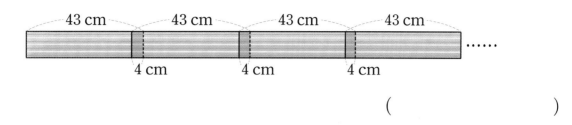

(   )

1
단원

3 길이가 55 cm인 막대 20개를 9 cm씩 겹치게 이어 묶었습니다. 이어 묶은 막대의 전체 길이는 몇 cm인지 구해 보세요.

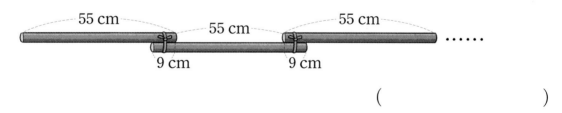

(   )

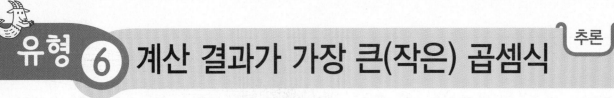
1 주어진 수 카드 4장을 모두 한 번씩만 사용하여 (세 자리 수)×(한 자리 수)의 곱셈식을 만들려고 합니다. 이때 계산 결과가 가장 큰 곱셈식과 계산 결과가 가장 작은 곱셈식을 각각 만들고 계산해 보세요.

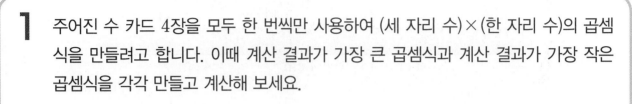

❶ 알맞은 말에 ○표 하세요.

> (세 자리 수)×(한 자리 수)의 계산 결과가 가장 크려면 곱하는 한 자리 수에 가장 (큰 , 작은) 수를 놓은 후 남은 수로 가장 (큰 , 작은) 세 자리 수를 만들어 곱합니다.

❷ 계산 결과가 가장 큰 곱셈식을 만들고 계산해 보세요.

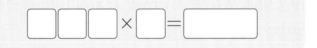

❸ 알맞은 말에 ○표 하세요.

> (세 자리 수)×(한 자리 수)의 계산 결과가 가장 작으려면 곱하는 한 자리 수에 가장 (큰 , 작은) 수를 놓은 후 남은 수로 가장 (큰 , 작은) 세 자리 수를 만들어 곱합니다.

❹ 계산 결과가 가장 작은 곱셈식을 만들고 계산해 보세요.

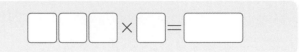

2 주어진 수 카드 4장을 모두 한 번씩만 사용하여 (세 자리 수)×(한 자리 수)의 곱셈식을 만들려고 합니다. 이때 계산 결과가 가장 큰 곱셈식과 계산 결과가 가장 작은 곱셈식을 각각 만들고 계산해 보세요.

1 단원

$$\boxed{3}\ \boxed{5}\ \boxed{6}\ \boxed{8} \rightarrow \boxed{}\boxed{}\boxed{} \times \boxed{}$$

계산 결과가 가장 큰 곱셈식: $\boxed{}\boxed{}\boxed{} \times \boxed{} = \boxed{}$

계산 결과가 가장 작은 곱셈식: $\boxed{}\boxed{}\boxed{} \times \boxed{} = \boxed{}$

3 주어진 수 카드 4장을 모두 한 번씩만 사용하여 (두 자리 수)×(두 자리 수)의 곱셈식을 만들려고 합니다. 이때 계산 결과가 가장 큰 곱셈식과 계산 결과가 가장 작은 곱셈식을 각각 만들고 계산해 보세요.

$$\boxed{3}\ \boxed{4}\ \boxed{8}\ \boxed{9} \rightarrow \boxed{}\boxed{} \times \boxed{}\boxed{}$$

계산 결과가 가장 큰 곱셈식: $\boxed{}\boxed{} \times \boxed{}\boxed{} = \boxed{}$

계산 결과가 가장 작은 곱셈식: $\boxed{}\boxed{} \times \boxed{}\boxed{} = \boxed{}$

사고력 종합 평가

1 빈칸에 알맞은 수를 써넣으세요.

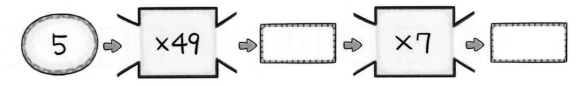

2 다음은 8개의 변의 길이가 모두 같은 도형입니다. 이 도형의 모든 변의 길이의 합은 몇 cm인지 구해 보세요.

128 cm

(   )

3 ☐ 안에 알맞은 수를 써넣으세요.

(1)
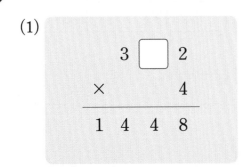

(2)
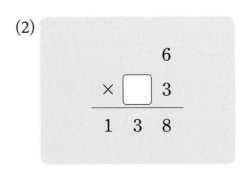

4 주어진 수 카드 4장 중 2장을 골라 한 번씩만 사용하여 만들 수 있는 가장 큰 두 자리 수
와 가장 작은 두 자리 수의 곱을 구해 보세요.

(   )

5 보기 에서 규칙을 찾아 빈칸에 알맞은 수를 써넣으세요.

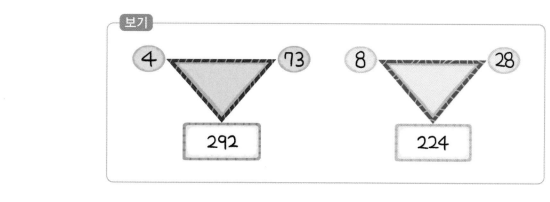

(1)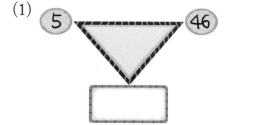

(2)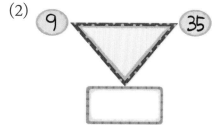

6 윤아가 동화책을 하루에 35쪽씩 읽으려고 합니다. 1주일에 7일씩, 2주 동안 읽을 수 있
는 동화책은 모두 몇 쪽인지 구해 보세요.

(   )

7 길의 한쪽에 처음부터 끝까지 28 m 간격으로 깃발 56개를 세웠습니다. 이 길은 몇 m인지 구해 보세요. (단, 깃발의 굵기는 생각하지 않습니다.)

(   )

8 한 변이 42 cm인 정사각형 6개를 그림과 같이 겹치지 않게 이어 붙였습니다. 빨간 선으로 표시된 부분의 길이의 합은 몇 cm인지 구해 보세요.

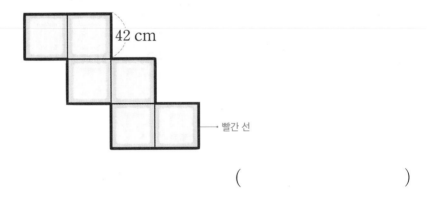

(   )

9 농장에 오리 47마리와 돼지 62마리가 있습니다. 농장에 있는 오리의 다리 수와 돼지의 다리 수의 차는 몇 개인지 구해 보세요. (단, 오리 한 마리의 다리는 2개이고 돼지 한 마리의 다리는 4개입니다.)

(   )

10 보기 에서 규칙을 찾아 빈칸에 알맞은 수를 써넣으세요.

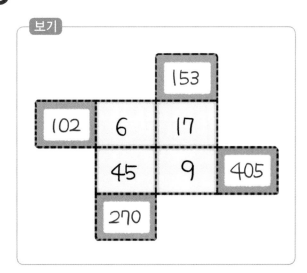

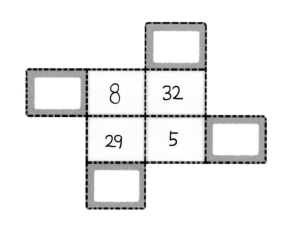

1
단원

11 어떤 수에 53을 곱해야 할 것을 잘못하여 더했더니 80이 되었습니다. 바르게 계산한 값을 구해 보세요.

(   )

12 길이가 207 cm인 색 테이프 9장을 9 cm씩 겹치게 이어 붙였습니다. 이어 붙인 색 테이프의 전체 길이는 몇 cm인지 구해 보세요.

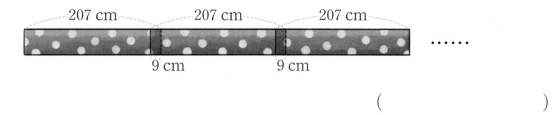

(   )

13 동호가 4월 한 달 동안 매주 월요일, 수요일, 금요일에는 줄넘기를 각각 95번씩 했고 매주 일요일, 화요일, 목요일, 토요일에는 윗몸 일으키기를 각각 72번씩 했습니다. 동호는 4월 한 달 동안 줄넘기와 윗몸 일으키기 중 무엇을 몇 번 더 많이 했는지 차례로 써 보세요.

(   ), (   )

14 일정한 빠르기로 아빠가 1걸음을 걸을 때 영미는 2걸음을 걷습니다. 아빠가 1분에 48걸음을 걷는다면 영미는 1시간 동안 몇 걸음을 걷는지 구해 보세요.

(   )

15 주어진 수 카드 4장을 모두 한 번씩만 사용하여 (두 자리 수)×(두 자리 수)의 곱셈식을 만들려고 합니다. 이때 계산 결과가 가장 큰 경우와 가장 작은 경우의 두 계산 결과의 차를 구해 보세요.

(   )

② 나눗셈

❀ (몇십)÷(몇)

나누어지는 수가 10배

$$8 \div 2 = 4 \quad \Rightarrow \quad 80 \div 2 = 40$$

몫도 10배

• 30÷2의 계산

십 모형 3개를 일 모형 30개로 바꾼 후 2개씩 묶으면 15묶음입니다.

$$30 \div 2 = 15$$

❀ 나머지가 없는 (몇십몇)÷(몇)

• 48÷4의 계산   • 75÷5의 계산

```
4÷4의 몫 ←    → 8÷4의 몫        7÷5의 몫 ←    → 25÷5의 몫
        1 2                          1 5
     4)4 8                        5)7 5
        4        ←4×1                5        ←5×1
      ─────                        ─────
        8                            2 5
        8        ←4×2                2 5      ←5×5
      ─────                        ─────
        0                            0
```

• 나눗셈식을 세로로 쓰는 방법

나누는 수

$$36 \div 3 = 12 \quad \Rightarrow \quad 3\overline{)3\,6}^{\,1\,2}$$

나누어지는 수

❀ 나머지가 있는 (몇십몇)÷(몇)

• 51÷2의 계산

```
        2 5
     2)5 1
        4
      ─────
        1 1
        1 0
      ─────
          1
```

나머지가 없으면 나머지가 0이라고 할 수 있습니다. 나머지가 0일 때, 나누어 떨어진다고 합니다.

❀ (세 자리 수)÷(한 자리 수)

• 360÷3의 계산   • 135÷6의 계산

몫의 일의 자리에 0을 반드시 써야 합니다.

```
        1 2 0                          2 2
     3)3 6 0                        6)1 3 5
        3        ←3×1                1 2      ←6×2
      ─────                        ─────
          6                            1 5
          6      ←3×2                  1 2    ←6×2
      ─────                        ─────
            0                            3
```

❀ 계산이 맞는지 확인하기

$$17 \div 5 = 3 \cdots 2$$

$$5 \times 3 = 15, \ 15 + 2 = 17$$

나누는 수와 몫의 곱에 나머지를 더하면 나누어지는 수가 되어야 합니다.

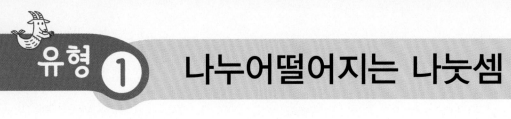
1 1부터 9까지의 수 중에서 ⬤ 안의 수를 나누어떨어지게 하는 수를 모두 찾아 빈 곳에 써넣으세요.

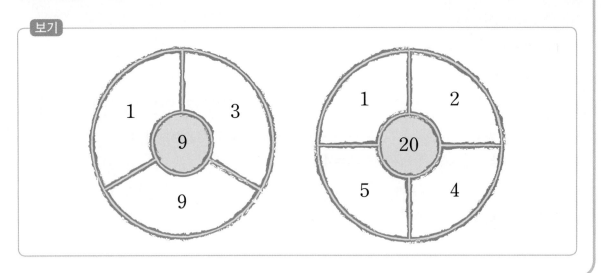

❶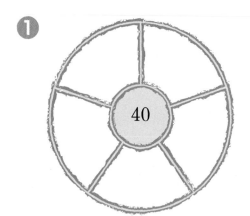

❷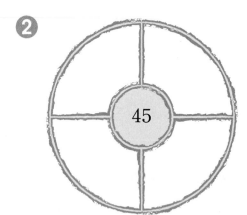

❸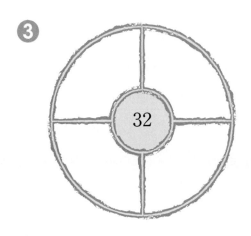

❹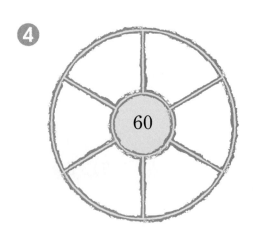

2 다음 나눗셈이 나누어떨어지게 하려고 합니다. 0부터 9까지의 수 중에서 ■에 알맞은 수를 모두 구해 보세요.

(1) 몫을 ▲라고 하면 (나누는 수)×(몫)＝(나누어지는 수)이므로

　　$6 \times ▲ =$ ☐ 입니다.

(2) ▲＝12일 때 $6 \times$ ☐ ＝ ☐,　　▲＝13일 때 $6 \times$ ☐ ＝ ☐,

　　▲＝14일 때 $6 \times$ ☐ ＝ ☐ 입니다.

(3) ■에 알맞은 수는 ☐, ☐ 입니다.

3 다음 나눗셈이 나누어떨어지게 하려고 합니다. 0부터 9까지의 수 중에서 ☐ 안에 들어갈 수 있는 수는 모두 몇 개인지 구해 보세요.

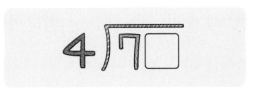

(　　　　　　　　　　)

1 수 카드 4장을 한 번씩만 사용하여 몫이 가장 큰 (세 자리 수)÷(한 자리 수)를 만들고 몫과 나머지를 구해 보세요.

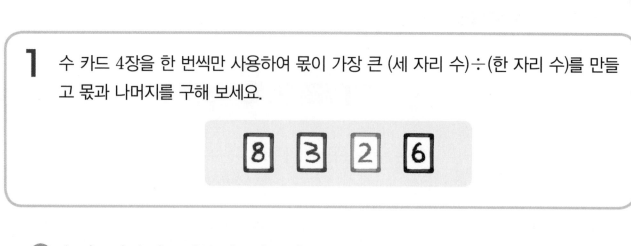

❶ 수 카드의 수의 크기를 비교해 보세요.

$\boxed{}$ > $\boxed{}$ > $\boxed{}$ > $\boxed{}$

❷ 알맞은 말에 ◯표 하세요.

몫이 가장 크려면 나누어지는 수는 가장 (큰 , 작은) 세 자리 수이어야 하고 나누는 수는 가장 (큰 , 작은) 한 자리 수이어야 합니다.

❸ ❷의 조건에 맞는 세 자리 수는 $\boxed{}$이고 한 자리 수는 $\boxed{}$입니다.

❹ 몫이 가장 큰 (세 자리 수)÷(한 자리 수)를 만들고 몫과 나머지를 구해 보세요.

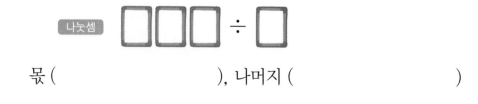

나눗셈 $\boxed{}\boxed{}\boxed{} \div \boxed{}$

몫 (   ), 나머지 (   )

2 수 카드 3장을 한 번씩만 사용하여 몫이 가장 큰 (두 자리 수)÷(한 자리 수)를 만들고 몫과 나머지를 구해 보세요.

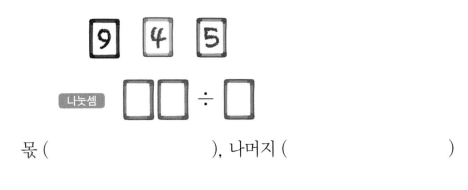

몫 (   ), 나머지 (   )

3 수 카드 3장을 한 번씩만 사용하여 몫이 가장 작은 (두 자리 수)÷(한 자리 수)를 만들고 몫과 나머지를 구해 보세요.

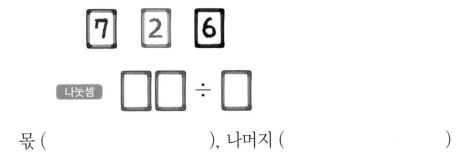

몫 (   ), 나머지 (   )

4 수 카드 4장을 한 번씩만 사용하여 몫이 가장 작은 (세 자리 수)÷(한 자리 수)를 만들고 몫과 나머지를 구해 보세요.

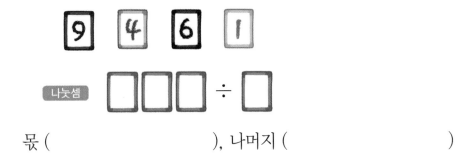

몫 (   ), 나머지 (   )

모아서 똑같이 나누기

1 윤주는 딸기 사탕 35개, 레몬 사탕 21개, 포도 사탕 42개를 가지고 있습니다. 이 사탕을 친구 6명과 함께 똑같이 나누어 먹으려고 합니다. 친구 한 명에게 사탕을 몇 개씩 나누어 줄 수 있는지 구해 보세요.

❶ 윤주는 사탕을 모두 몇 개 가지고 있을까요?

(   )

❷ 윤주는 친구 6명과 사탕을 몇 개씩 나누어 가질 수 있는지 식을 쓰고 답을 구해 보세요.

식 _____

답 _____

❸ 윤주는 친구 한 명에게 사탕을 몇 개씩 나누어 줄 수 있을까요?

(   )

2 승기는 빨간색 구슬 30개, 파란색 구슬 25개, 초록색 구슬 20개를 가지고 있습니다. 이 구슬을 한 사람에게 5개씩 나누어 주려고 합니다. 몇 명에게 나누어 줄 수 있는지 구해 보세요.

(   )

3 호동이네 학교 3학년은 27명씩 8개 반입니다. 3학년 학생들을 4모둠으로 똑같이 나누어 봉사 활동을 간다면 한 모둠은 몇 명씩으로 해야 하는지 구해 보세요.

(   )

유형 **4** 가로등(나무) 수 구하기

1 그림과 같이 길이가 45 m인 도로 한쪽에 5 m 간격으로 가로등을 세우려고 합니다. 가로등은 모두 몇 개 필요한지 구해 보세요. (단, 가로등의 두께는 생각하지 않습니다.)

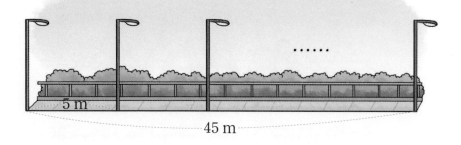

5 m
45 m

❶ 가로등과 가로등 사이의 거리는 몇 m일까요?

( )

❷ 가로등과 가로등 사이의 간격 수는 몇 군데일까요?

( )

❸ 가로등은 모두 몇 개 필요한지 구해 보세요.

( )

2 둘레가 847 m인 원 모양의 호수 둘레에 7 m 간격으로 나무를 심으려고 합니다. 필요한 나무는 모두 몇 그루인지 구해 보세요. (단, 나무의 두께는 생각하지 않습니다.)

(   )

3 농장에 가로 36 m, 세로 42 m인 직사각형 모양을 그리고 그 둘레에 3 m 간격으로 말뚝을 세우려고 합니다. 직사각형의 네 꼭짓점에는 반드시 말뚝을 세운다고 할 때, 필요한 말뚝은 모두 몇 개인지 구해 보세요. (단, 말뚝의 두께는 생각하지 않습니다.)

(   )

1 동화책 33권과 위인전 38권이 있습니다. 이 책을 종류에 상관없이 한 상자에 4권씩 모두 담으려고 합니다. 상자는 적어도 몇 개 필요한지 구해 보세요.

❶ 동화책과 위인전은 모두 몇 권인지 구해 보세요.

( )

❷ 책을 한 상자에 4권씩 담으면 몇 상자가 되고 몇 권이 남는지 구해 보세요.

상자 수 ( )

남는 책 수 ( )

❸ 책을 모두 담는 데 필요한 상자는 적어도 몇 개인지 구해 보세요.

( )

2 야구공 45개와 테니스공 48개를 상자에 나누어 담으려고 합니다. 공의 종류에 관계없이 한 상자에 8개씩 담을 수 있다면 공을 남김없이 모두 담기 위해 상자는 적어도 몇 개 필요한지 구해 보세요.

(   )

3 진주네 학교 3학년 학생이 현장 체험 학습을 가기 위해 소형 버스를 타려고 합니다. 소형 버스 한 대에 9명까지 탈 수 있다면 소형 버스는 적어도 몇 대 필요한지 구해 보세요.

3학년 학생 수

반	1반	2반	3반	4반	5반	6반
학생 수(명)	27	21	26	24	25	23

(   )

1 세 변의 길이가 같은 삼각형을 그림과 같이 모양과 크기가 같은 9개의 삼각형으로 나누었습니다. 가장 큰 삼각형의 세 변의 길이의 합이 72 cm일 때 가장 작은 삼각형 한 개의 세 변의 길이의 합은 몇 cm인지 구해 보세요.

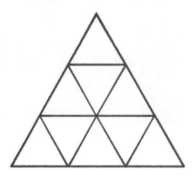

❶ 가장 큰 삼각형의 한 변의 길이는 몇 cm일까요?

(   )

❷ 가장 작은 삼각형의 한 변의 길이는 몇 cm일까요?

(   )

❸ 가장 작은 삼각형 한 개의 세 변의 길이의 합은 몇 cm일까요?

(   )

2 세 변의 길이가 같은 삼각형을 그림과 같이 모양과 크기가 같은 4개의 삼각형으로 나누었습니다. 큰 삼각형의 세 변의 길이의 합이 66 cm일 때, 작은 삼각형 한 개의 세 변의 길이의 합은 몇 cm인지 구해 보세요.

(   )

3 세 변의 길이가 같은 삼각형 3개를 그림과 같이 이어 붙여 사각형을 만들었습니다. 만든 사각형의 네 변의 길이의 합이 75 cm일 때, 삼각형 한 개의 세 변의 길이의 합은 몇 cm인지 구해 보세요.

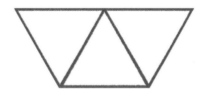

(   )

1 1부터 9까지의 수 중에서 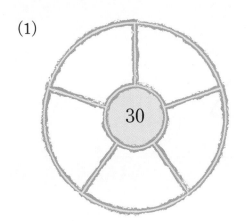 안의 수를 나누어떨어지게 하는 수를 모두 찾아 빈 곳에 써넣으세요.

(1)

(2)

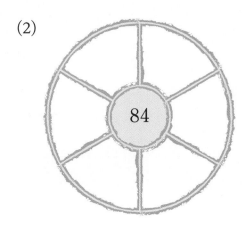

2 다음 나눗셈이 나누어떨어지게 하려고 합니다. 0부터 9까지의 수 중에서 □ 안에 들어갈 수 있는 수를 모두 구해 보세요.

$$5\square \div 3$$

(   )

3 다음 나눗셈에서 ◯에 알맞은 수 중 가장 작은 수를 구해 보세요.

$$\square \div \bigcirc = \bigstar \cdots 7$$

(   )

4 수 카드 3장을 한 번씩만 사용하여 몫이 가장 큰 (두 자리 수)÷(한 자리 수)를 만들고 몫과 나머지를 구해 보세요.

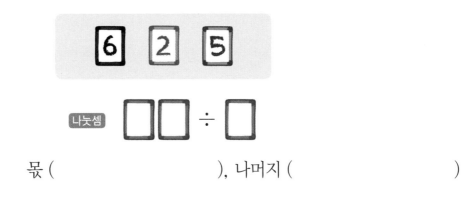

몫 (   ), 나머지 (   )

5 수 카드 4장을 한 번씩만 사용하여 몫이 가장 작은 (세 자리 수)÷(한 자리 수)를 만들고 몫과 나머지를 구해 보세요.

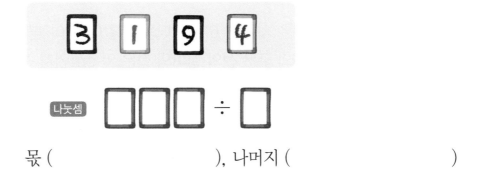

몫 (   ), 나머지 (   )

6 ♥와 ♣에 알맞은 수를 각각 구해 보세요.

$$♥ ÷ 8 = 24 \cdots 6$$
$$♥ ÷ 6 = ♣$$

♥ (   )

♣ (   )

7 재원이가 가지고 있는 사탕입니다. 하루에 사탕을 4개씩 먹는다면 며칠 동안 먹을 수 있는지 구해 보세요.

막대 사탕	레몬 사탕	딸기 사탕
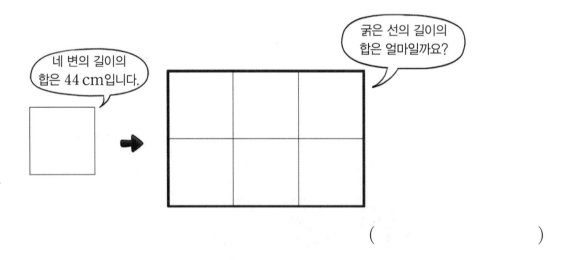

(   )

8 네 변의 길이가 같은 사각형 6개를 다음과 같이 이어 붙여 직사각형을 만들었습니다. 새로 만든 직사각형의 굵은 선의 길이의 합은 몇 cm인지 구해 보세요.

네 변의 길이의 합은 44 cm입니다.

굵은 선의 길이의 합은 얼마일까요?

(   )

9 주스 가게에서는 주스 한 잔에 얼음을 3개씩 넣어 판매합니다. 얼음 조각이 171개라면 주스를 몇 잔 팔 수 있는지 구해 보세요.

(   )

10 어떤 수를 3으로 나누어야 할 것을 잘못하여 9로 나누었더니 몫이 19가 되었습니다. 바르게 계산한 답을 구해 보세요.

(   )

11 흰색 바둑돌 81개와 검은색 바둑돌 54개를 바구니에 나누어 담으려고 합니다. 바둑돌의 색과 관계없이 한 바구니에 6개씩 담을 수 있다면 바둑돌을 남김없이 모두 담기 위해 바구니는 적어도 몇 개 필요한지 구해 보세요.

(   )

12 그림과 같이 길이가 63 m인 도로의 양쪽에 9 m 간격으로 나무를 심으려고 합니다. 나무를 모두 몇 그루 심어야 하는지 구해 보세요. (단, 나무의 두께는 생각하지 않습니다.)

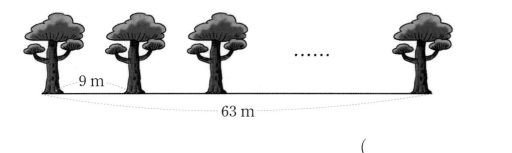

(   )

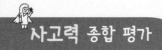
13 둘레가 786 m인 원 모양의 공원 둘레에 6 m 간격으로 나무를 심으려고 합니다. 필요한 나무는 모두 몇 그루인지 구해 보세요. (단, 나무의 두께는 생각하지 않습니다.)

(   )

14 연필이 10자루씩 9묶음과 낱개 6자루가 있습니다. 이 연필을 4명이 똑같이 나누어 가진 다면 한 명이 몇 자루씩 가질 수 있는지 구해 보세요.

(   )

15 나눗셈식에서 ㉢이 될 수 있는 수들의 합은 얼마인지 구해 보세요.

$$㉠ ÷ 6 = ㉡ \cdots ㉢$$

(   )

3 원

원의 중심, 반지름, 지름

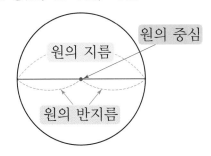

- 한 원에는 원의 중심이 1개 있습니다.
- 한 원에 반지름과 지름을 무수히 많이 그을 수 있습니다.
- 한 원에서 반지름의 길이는 모두 같습니다.
- 한 원에서 지름의 길이는 모두 같습니다.

원의 성질

① 원의 중심에서 원 위의 한 점까지의 길이는 모두 같습니다.
② 원의 지름은 원을 둘로 똑같이 나눕니다.
③ 원의 지름은 원 안에 그을 수 있는 가장 긴 선분입니다.
④ 한 원에서 지름은 반지름의 2배입니다.
➡ (원의 지름) = (원의 반지름) × 2
⑤ 한 원에서 반지름은 지름의 반입니다.
➡ (원의 반지름) = (원의 지름) ÷ 2

컴퍼스를 이용하여 원 그리기

① 원의 중심이 되는 점 ㅇ을 정합니다.
② 컴퍼스를 원의 반지름만큼 벌립니다.
③ 컴퍼스의 침을 점 ㅇ에 꽂고 원을 그립니다.

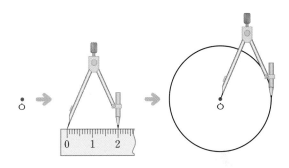

원을 이용하여 여러 가지 모양 그리기

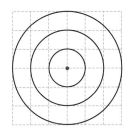

➡ 원의 중심이 모두 같고, 반지름이 모눈 1칸씩 늘어납니다.

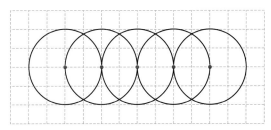

➡ 원의 중심은 오른쪽으로 모눈 2칸씩 이동하고, 반지름이 모두 모눈 2칸입니다.

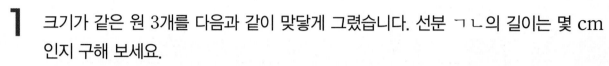

1 크기가 같은 원 3개를 다음과 같이 맞닿게 그렸습니다. 선분 ㄱㄴ의 길이는 몇 cm 인지 구해 보세요.

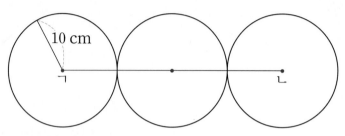

① 원의 반지름은 몇 cm일까요?

(   )

② 선분 ㄱㄴ의 길이는 원의 반지름의 몇 배일까요?

(   )

③ 선분 ㄱㄴ의 길이는 몇 cm일까요?

(   )

2 반지름이 9 cm인 원 4개를 다음과 같이 맞닿게 그렸습니다. 선분 ㄱㄴ의 길이는 몇 cm 인지 구해 보세요.

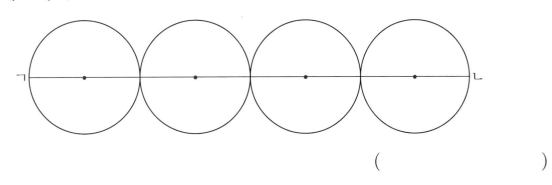

(   )

3 크기가 같은 원 5개를 다음과 같이 중심을 지나도록 그렸습니다. 선분 ㄱㄴ의 길이는 몇 cm인지 구해 보세요.

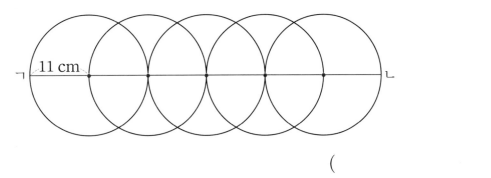

(   )

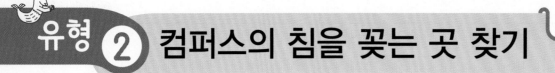
1 다음과 같은 모양을 그릴 때 컴퍼스의 침을 꽂아야 하는 곳은 모두 몇 군데인지 구해 보세요.

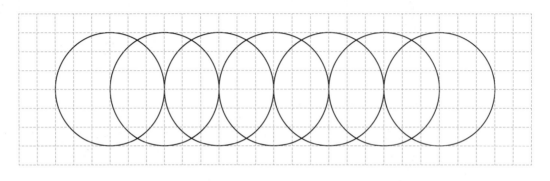

❶ 알맞은 말에 ○표 하세요.

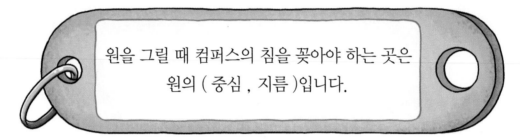

원을 그릴 때 컴퍼스의 침을 꽂아야 하는 곳은
원의 (중심 , 지름)입니다.

❷ 위의 모양에서 컴퍼스의 침을 꽂아야 할 곳에 모두 • 표시를 하세요.

❸ 컴퍼스의 침을 꽂아야 하는 곳은 모두 몇 군데일까요?

(   )

2 다음과 같은 모양을 그릴 때 컴퍼스의 침을 꽂아야 하는 곳의 개수가 나머지와 <u>다른</u> 하나를 찾아 기호를 써 보세요.

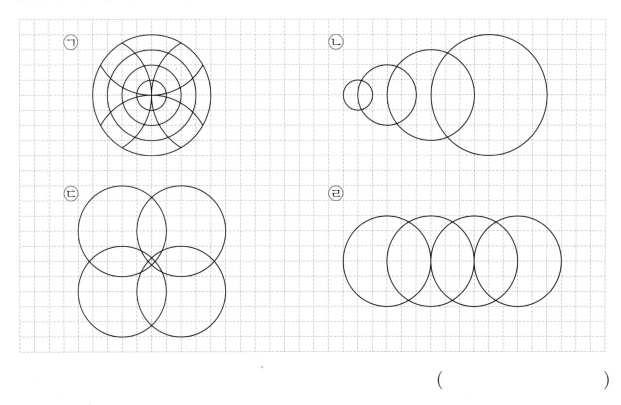

(   )

3 주어진 모양과 똑같이 그려 보세요.

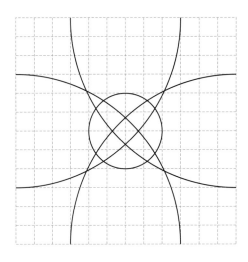 →

1 점 ㄴ, 점 ㄹ은 각 원의 중심입니다. 사각형 ㄱㄴㄷㄹ의 네 변의 길이의 합은 몇 cm인지 구해 보세요.

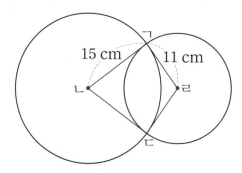

❶ 알맞은 말에 ○표 하세요.

> 한 원에서 반지름의 길이는 모두 (같습니다 , 다릅니다).

❷ 사각형 ㄱㄴㄷㄹ의 네 변의 길이를 각각 써 보세요.

변 ㄱㄴ의 길이 (   )

변 ㄴㄷ의 길이 (   )

변 ㄱㄹ의 길이 (   )

변 ㄹㄷ의 길이 (   )

❸ 사각형 ㄱㄴㄷㄹ의 네 변의 길이의 합은 몇 cm일까요?

(   )

2 반지름이 5 cm인 원 3개를 다음과 같이 서로 원의 중심을 지나도록 겹친 후 원의 중심을 이어 삼각형을 그렸습니다. 삼각형 ㄱㄴㄷ의 세 변의 길이의 합은 몇 cm인지 구해 보세요.

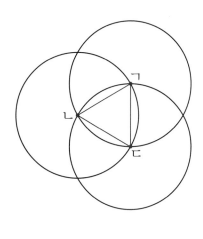

(   )

3 세 원을 그림과 같이 맞닿게 그린 후 원의 중심을 이었습니다. 삼각형 ㄱㄴㄷ의 세 변의 길이의 합은 몇 cm인지 구해 보세요.

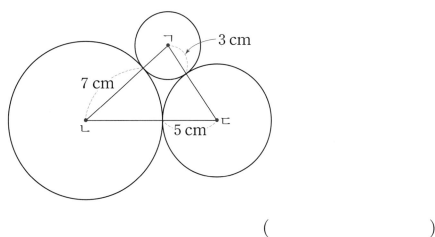

(   )

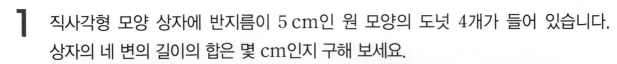

유형 4 상자의 변의 길이의 합 구하기   창의·융합

1 직사각형 모양 상자에 반지름이 5 cm인 원 모양의 도넛 4개가 들어 있습니다. 상자의 네 변의 길이의 합은 몇 cm인지 구해 보세요.

❶ 상자의 가로는 몇 cm일까요?

(   )

❷ 상자의 세로는 몇 cm일까요?

(   )

❸ 상자의 네 변의 길이의 합은 몇 cm일까요?

(   )

2 직사각형 모양 상자에 반지름이 7 cm인 원 모양의 접시 3개가 들어 있습니다. 상자의 네 변의 길이의 합은 몇 cm인지 구해 보세요.

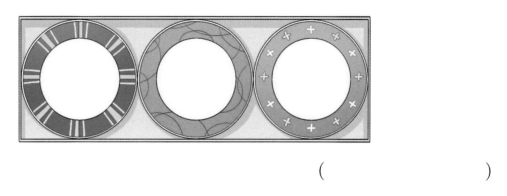

(   )

3 단원

3 네 변의 길이의 합이 72 cm인 직사각형 모양 상자에 크기가 같은 원 모양의 나침반 5개가 들어 있습니다. 나침반의 반지름은 몇 cm인지 구해 보세요.

(   )

1 점 ㄱ, 점 ㄴ, 점 ㄷ, 점 ㄹ은 각 원의 중심입니다. 가장 큰 원 가의 지름이 32 cm 일 때 선분 ㄱㄹ의 길이는 몇 cm인지 구해 보세요. (단, 원 다와 원 라의 크기는 같습니다.)

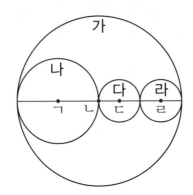

❶ 원 가의 반지름은 몇 cm일까요?

(   )

❷ 원 나의 반지름은 몇 cm일까요?

(   )

❸ 원 다의 반지름은 몇 cm일까요?

(   )

❹ 선분 ㄱㄹ의 길이는 몇 cm일까요?

(   )

2 점 ㄱ, 점 ㄴ, 점 ㄷ, 점 ㄹ은 각 원의 중심입니다. 가장 큰 원 가의 지름이 40 cm일 때 선분 ㄱㄹ의 길이는 몇 cm인지 구해 보세요. (단, 원 나와 원 다의 크기는 같습니다.)

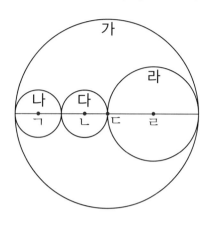

(   )

3 점 ㄱ, 점 ㄴ, 점 ㄷ은 각 원의 중심입니다. 선분 ㄱㄷ의 길이는 몇 cm인지 구해 보세요.

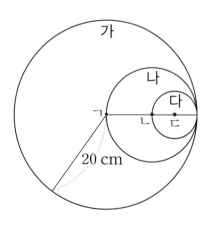

20 cm

(   )

1 반지름이 4 cm인 원 모양의 색종이 8장을 다음과 같이 맞닿게 한 후 선분으로 둘러쌌습니다. 둘러싼 선분의 길이의 합은 몇 cm인지 구해 보세요.

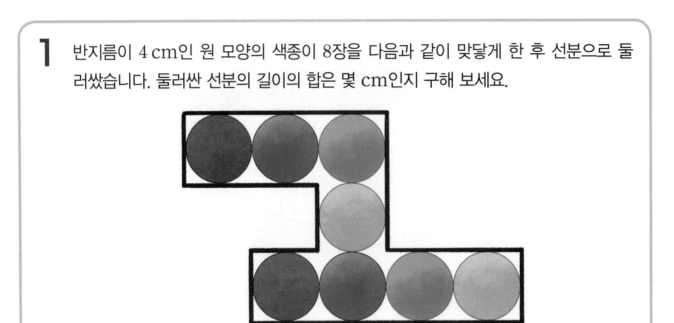

❶ 원 모양 색종이의 지름은 몇 cm일까요?

(   )

❷ 둘러싼 선분의 길이의 합은 지름의 몇 배일까요?

(   )

❸ 둘러싼 선분의 길이의 합은 몇 cm일까요?

(   )

2 반지름이 3 cm인 원 모양의 색종이 5장을 다음과 같이 맞닿게 한 후 선분으로 둘러쌌습니다. 둘러싼 선분의 길이의 합은 몇 cm인지 구해 보세요.

(   )

3 원 모양의 색종이 11장을 다음과 같이 맞닿게 한 후 선분으로 둘러쌌습니다. 둘러싼 선분의 길이의 합이 240 cm일 때 원 모양 색종이의 지름은 몇 cm인지 구해 보세요.

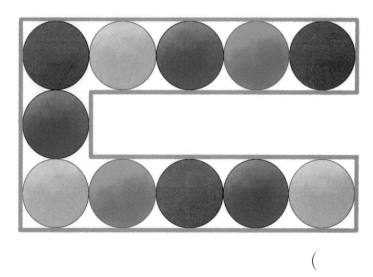

(   )

1 점 ㅇ이 원의 중심일 때 지름을 나타내는 선분은 모두 몇 개인지 구해 보세요.

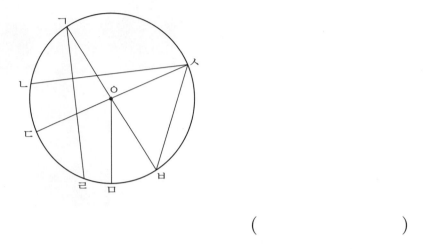

(   )

2 점 ㅇ을 중심으로 하는 원 위에 다음과 같이 마트, 학교, 도서관, 병원, 경찰서가 있습니다. 두 장소 사이의 거리가 가장 먼 곳은 어디와 어디인지 써 보세요. (단, 두 장소 사이의 거리는 두 장소를 이은 선분의 길이와 같습니다.)

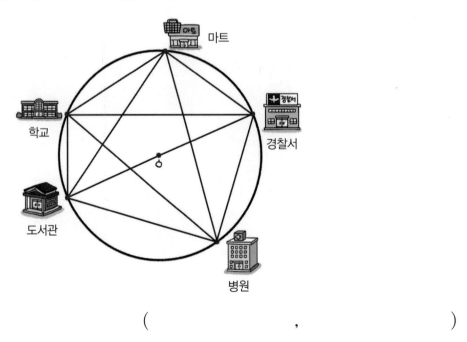

(,   )

3 선분 ㄱㄴ의 길이는 몇 cm인지 구해 보세요.

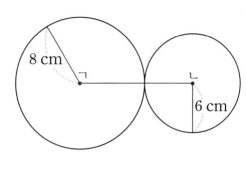

(   )

3단원

4 다음과 같은 모양을 그릴 때 컴퍼스의 침을 꽂아야 하는 곳은 모두 몇 군데인지 구해 보세요.

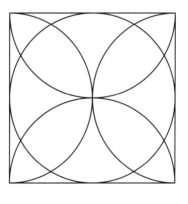

(   )

5 주어진 모양과 똑같이 그려 보세요.

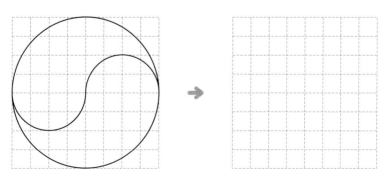

6 점 ㅇ이 원의 중심이고 반지름이 8 cm인 원입니다. 삼각형 ㅇㄱㄴ의 세 변의 길이의 합은 몇 cm인지 구해 보세요.

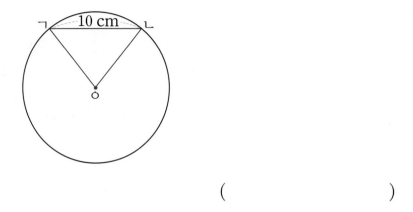

(   )

7 크기가 같은 원 4개를 다음과 같이 중심을 지나도록 그렸습니다. 선분 ㄱㄴ의 길이는 몇 cm인지 구해 보세요.

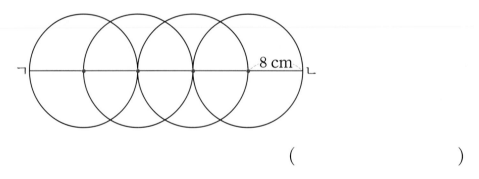

(   )

8 그림과 같이 먼저 반지름이 4 cm인 원을 그린 후 반지름을 1 cm씩 늘려 가며 원을 3개 더 그렸습니다. 가장 큰 원의 지름은 몇 cm인지 구해 보세요.

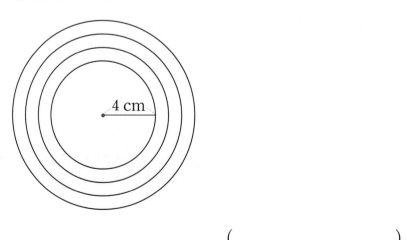

(   )

9 다음과 같이 정사각형 안에 원을 꼭 맞게 그렸습니다. 정사각형의 네 변의 길이의 합은 몇 cm인지 구해 보세요.

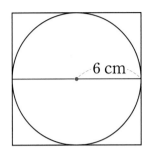

(   )

10 점 ㄱ, 점 ㄴ, 점 ㄷ은 각 원의 중심입니다. 가장 큰 원 가의 지름이 24 cm일 때 선분 ㄱㄷ의 길이는 몇 cm인지 구해 보세요.

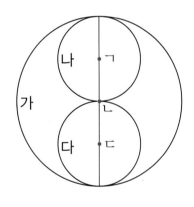

(   )

11 가장 큰 원을 찾아 기호를 써 보세요.

> ㉠ 지름이 8 cm인 원
> ㉡ 반지름이 6 cm인 원
> ㉢ 반지름이 5 cm인 원
> ㉣ 지름이 11 cm인 원

(   )

12 직사각형 모양 상자에 반지름이 6 cm인 원 모양의 마카롱 5개가 들어 있습니다. 상자의 네 변의 길이의 합은 몇 cm인지 구해 보세요.

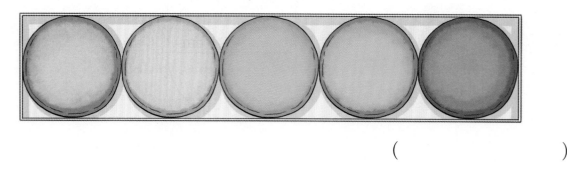

( )

13 점 ㄱ, 점 ㄴ, 점 ㄷ, 점 ㄹ은 각 원의 중심입니다. 네 원을 오른쪽과 같이 맞닿게 그린 후 네 원의 중심을 이었습니다. 사각형 ㄱㄴㄷㄹ의 네 변의 길이의 합은 몇 cm인지 구해 보세요.

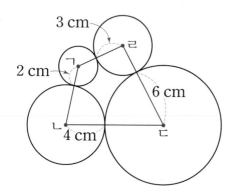

( )

14 반지름이 7 cm인 원 모양의 색종이 7장을 다음과 같이 맞닿게 한 후 선분으로 둘러쌌습니다. 둘러싼 선분의 길이의 합은 몇 cm인지 구해 보세요.

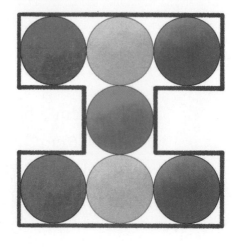

( )

4 분수

❀ 분수로 나타내기

- 부분은 전체의 얼마인지 알아보기

  3은 전체 3묶음 중의 1묶음이므로 전체의 $\frac{1}{3}$입니다.

  6은 전체 3묶음 중의 2묶음이므로 전체의 $\frac{2}{3}$입니다.

❀ 분수만큼은 얼마인지 알아보기

- 수에 대한 분수만큼을 알아보기

  → 18을 6묶음으로 똑같이 나누면 1묶음은 전체의 $\frac{1}{6}$입니다.

  18의 $\frac{1}{6}$은 3입니다.

- 길이에 대한 분수만큼을 알아보기

  10 cm의 $\frac{3}{5}$은 6 cm입니다.

❀ 진분수, 가분수, 자연수, 대분수

- 진분수: 분자가 분모보다 작은 분수

  예 $\frac{1}{2}$, $\frac{2}{4}$, $\frac{3}{5}$

- 가분수: 분자가 분모와 같거나 분모보다 큰 분수 예 $\frac{5}{5}$, $\frac{7}{2}$

- 자연수: 1, 2, 3과 같은 수
  → 0은 자연수가 아닙니다.

- 대분수: 자연수와 진분수로 이루어진 분수

  쓰기 $2\frac{3}{4}$ 읽기 2와 4분의 3

- 가분수를 대분수로 나타내기

  $\frac{9}{6}$ → ($\frac{6}{6}$과 $\frac{3}{6}$) → (1과 $\frac{3}{6}$) → $1\frac{3}{6}$

- 대분수를 가분수로 나타내기

  $1\frac{3}{5}$ → (1과 $\frac{3}{5}$) → ($\frac{5}{5}$와 $\frac{3}{5}$) → $\frac{8}{5}$

❀ 분모가 같은 분수의 크기 비교하기

- $\frac{9}{4} < \frac{11}{4}$ → 9<11─분자의 크기가 큰 가분수가 더 큽니다.

- $2\frac{2}{4} > 2\frac{1}{4}$ → 2>1─자연수가 같으므로 분자의 크기가 큰 대분수가 더 큽니다.

- $1\frac{1}{3}$과 $\frac{5}{3}$의 크기를 비교하면

  $1\frac{1}{3} = \frac{4}{3}$이므로 $1\frac{1}{3} < \frac{5}{3}$입니다.

유형 ① 분수만큼은 얼마인지 알아보기 문제 해결

1 조건을 보고 노란색 나뭇잎은 몇 장인지 구해 보세요.

조건

• 빨간색 나뭇잎은 32장의 $\dfrac{3}{8}$입니다.

• 초록색 나뭇잎은 32장의 $\dfrac{2}{4}$입니다.

• 나머지는 모두 노란색 나뭇잎입니다.

❶ 빨간색 나뭇잎은 몇 장인지 구해 보세요.

(   )

❷ 초록색 나뭇잎은 몇 장인지 구해 보세요.

(   )

❸ 노란색 나뭇잎은 몇 장인지 구해 보세요.

(   )

2 그림을 보고 ☐ 안에 알맞은 수를 써넣으세요.

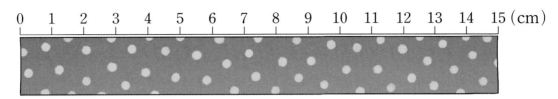

(1) 15 cm의 $\frac{4}{5}$는 ☐ cm입니다.

(2) 15 cm의 $\frac{2}{3}$는 ☐ cm입니다.

3 민호는 색 테이프 1 m 중 $\frac{2}{5}$를 쓰고 연아는 남은 색 테이프 중 $\frac{1}{6}$을 썼습니다. 민호와 연아가 쓰고 남은 색 테이프는 몇 cm인지 구해 보세요.

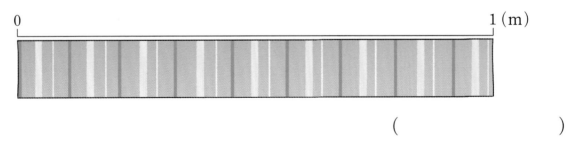

(   )

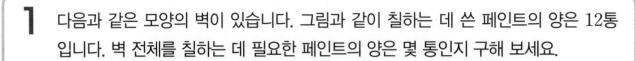

유형 ② 전체(또는 부분)의 양 구하기 추론

1 다음과 같은 모양의 벽이 있습니다. 그림과 같이 칠하는 데 쓴 페인트의 양은 12통입니다. 벽 전체를 칠하는 데 필요한 페인트의 양은 몇 통인지 구해 보세요.

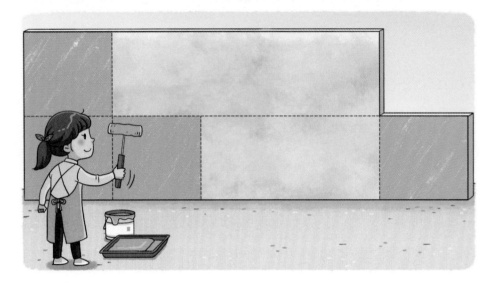

❶ 색칠한 부분이 전체의 4칸이 되도록 벽을 똑같이 나누어 보세요.

❷ 색칠한 부분은 전체의 몇 분의 몇일까요?

( )

❸ 벽 전체를 칠하는 데 필요한 페인트의 양은 몇 통인지 구해 보세요.

( )

2 다음 피자의 먹고 남은 부분의 넓이는 36입니다. 피자 전체의 넓이는 얼마인지 구해 보세요.

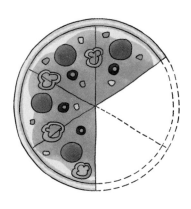

(   )

3 다음 화단의 전체 넓이는 48입니다. 장미꽃을 심은 부분의 넓이는 얼마인지 구해 보세요.

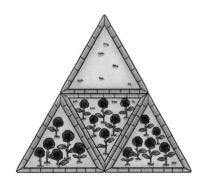

(   )

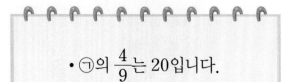

1 ㉠과 ㉡의 합을 구해 보세요.

> • ㉠의 $\frac{4}{9}$는 20입니다.
>
> • ㉡의 $\frac{2}{5}$는 10입니다.

❶ ㉠에 알맞은 수를 구해 보세요.

(   )

❷ ㉡에 알맞은 수를 구해 보세요.

(   )

❸ ㉠과 ㉡의 합을 구해 보세요.

(   )

2 ㉠과 ㉡의 차를 구해 보세요.

> • ㉠의 $\frac{2}{7}$는 12입니다.
>
> • ㉡의 $\frac{2}{3}$는 50입니다.

(   )

3 어떤 수의 $\frac{3}{4}$은 18입니다. 어떤 수의 $\frac{1}{8}$은 얼마인지 구해 보세요.

(   )

4 어떤 수의 $\frac{5}{8}$는 35입니다. 어떤 수의 $\frac{1}{2}$은 얼마인지 구해 보세요.

(   )

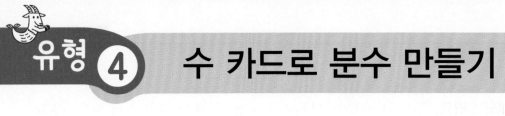

1 3장의 수 카드 중에서 2장을 골라 한 번씩만 사용하여 만들 수 있는 진분수와 가분수는 모두 몇 개인지 구해 보세요.

2 3 7

❶ 만들 수 있는 진분수는 몇 개일까요?

(   )

❷ 만들 수 있는 가분수는 몇 개일까요?

(   )

❸ 만들 수 있는 진분수와 가분수는 모두 몇 개인지 구해 보세요.

(   )

2 3장의 수 카드 중에서 2장을 골라 한 번씩만 사용하여 만들 수 있는 진분수를 모두 써 보세요.

(   )

4 3장의 수 카드 중에서 2장을 골라 한 번씩만 사용하여 만들 수 있는 가분수를 모두 써 보세요.

(   )

5 4장의 수 카드가 있습니다. 이 중 7을 포함한 수 카드 3장을 골라 한 번씩만 사용하여 만들 수 있는 분수 중 분모가 7인 대분수를 모두 써 보세요.

(   )

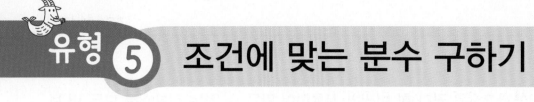

1 조건을 모두 만족하는 분수를 구해 보세요.

> • 진분수입니다.
> • 분모와 분자의 합은 9입니다.
> • 분모와 분자의 차는 1입니다.

❶ 분모와 분자의 합이 9인 진분수를 모두 써 보세요.

(   )

❷ ❶의 진분수 중에서 분모와 분자의 차가 1인 진분수를 써 보세요.

(   )

❸ 조건을 모두 만족하는 분수를 써 보세요.

(   )

2 조건을 만족하는 분수는 모두 몇 개인지 구해 보세요.

> • 분모가 7인 가분수입니다.
> • $1\frac{6}{7}$보다 작습니다.

(   )

4

단원

3 조건을 모두 만족하는 대분수를 구해 보세요.

> • 3보다 크고 4보다 작은 수입니다.
> • 분자와 분모의 합은 10입니다.
> • 분자와 분모의 차는 4입니다.

(   )

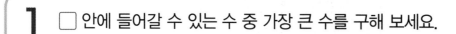

유형 **6** □ 안에 들어갈 수 있는 수 구하기 〔창의·융합〕

1 □ 안에 들어갈 수 있는 수 중 가장 큰 수를 구해 보세요.

$$5\frac{7}{13} > \frac{\square}{13}$$

❶ $5\frac{7}{13}$ 을 가분수로 바꾸어 보세요.

(   )

❷ 알맞은 말에 ○표 하세요.

분모가 같은 가분수의 크기 비교는 (분모 , 분자)가 큰 분수가 더 큽니다.

❸ □ 안에 들어갈 수 있는 가장 큰 수를 구해 보세요.

(   )

2 ☐ 안에 들어갈 수 있는 수를 모두 구해 보세요.

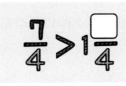

$$\frac{7}{4} > 1\frac{\square}{4}$$

(   )

3 ☐ 안에 들어갈 수 있는 수 중에서 20보다 큰 수를 모두 구해 보세요.

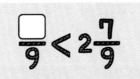

$$\frac{\square}{9} < 2\frac{7}{9}$$

(   )

4 ☐ 안에 들어갈 수 있는 수를 모두 구해 보세요.

$$2\frac{8}{11} < \frac{\square}{11} < 3\frac{2}{11}$$

(   )

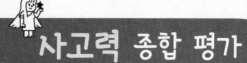

1 그림을 보고 사과 16개의 $\frac{3}{4}$은 몇 개인지 구해 보세요.

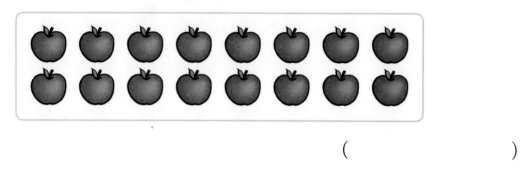

(   )

2 그림을 보고 1 m의 $\frac{4}{5}$는 몇 cm인지 구해 보세요.

(   )

3 1시간의 $\frac{1}{4}$은 몇 분인지 구해 보세요.

(   )

4 다음 도형의 전체 넓이는 48입니다. 색칠한 부분의 넓이는 얼마인지 구해 보세요.

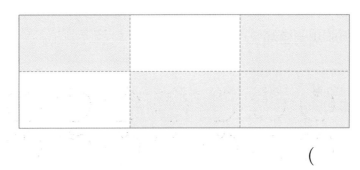

(   )

5 ㉠에 알맞은 수를 구해 보세요.

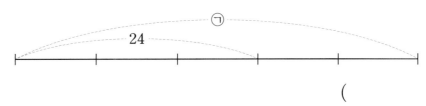

(   )

6 두 분수의 크기를 비교하여 더 큰 분수를 빈칸에 써넣으세요.

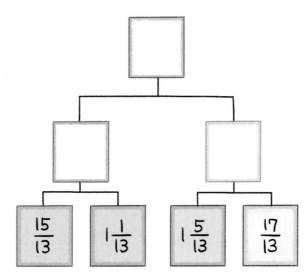

7 □ 안에 알맞은 수를 구하여 사다리를 따라 내려갑니다. □ 안에 알맞은 수를 도착한 곳의 ( ) 안에 써넣으세요.

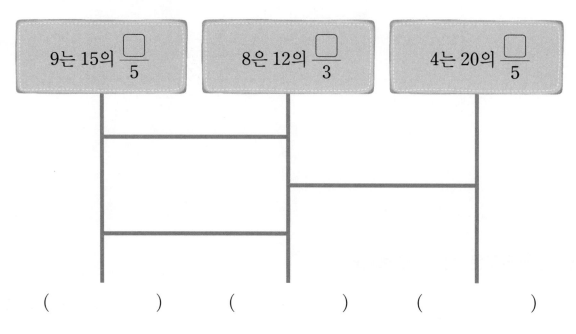

9는 15의 $\dfrac{\square}{5}$

8은 12의 $\dfrac{\square}{3}$

4는 20의 $\dfrac{\square}{5}$

( )　　( )　　( )

8 주영이는 가지고 있던 색종이 54장 중에서 $\dfrac{4}{9}$를 동생에게 주었습니다. 동생에게 주고 남은 색종이는 몇 장인지 구해 보세요.

( )

9 4장의 수 카드 중에서 2장을 골라 한 번씩만 사용하여 만들 수 있는 진분수는 모두 몇 개인지 구해 보세요.

$$\boxed{2} \quad \boxed{4} \quad \boxed{8} \quad \boxed{9}$$

( )

10 주연이가 말하는 분수를 모두 써 보세요.

분모가 8이고 $1\frac{3}{8}$보다 작은 가분수입니다.

주연

(   )

11 초콜릿이 36개 있습니다. 그중에서 $\frac{1}{9}$은 딸기 초콜릿이고 나머지의 $\frac{3}{8}$은 민트 초콜릿입니다. 민트 초콜릿은 몇 개인지 구해 보세요.

(   )

12 떨어진 높이의 $\frac{5}{6}$만큼 튀어 오르는 공이 있습니다. 이 공을 72 m 높이에서 떨어뜨린다면 두 번째로 튀어 오른 공의 높이는 몇 m인지 구해 보세요.

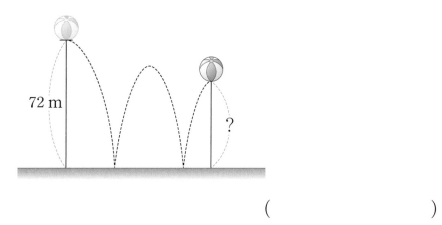

72 m

?

(   )

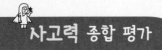

13 어떤 수의 $\frac{5}{7}$는 40입니다. 어떤 수의 $\frac{3}{8}$은 얼마인지 구해 보세요.

(   )

14 ☐ 안에 들어갈 수 있는 가장 큰 수를 구해 보세요.

(   )

15 조건을 모두 만족하는 분수를 구해 보세요.

> • 분모는 1보다 큰 가분수입니다.
> • 분모와 분자의 합은 17입니다.
> • 분모와 분자의 차는 3입니다.

(   )

5 들이와 무게

❊ 들이 비교하기

주스병 → 4개   우유병 → 3개

주스병이 우유병보다 컵 4−3＝1(개)만큼
물이 더 들어갑니다.

❊ 들이의 단위

들이의 단위: 리터(L), 밀리리터(mL)

10 cm / 10 cm / 10 cm → 1 L

$$1 L = 1000 mL$$

❊ 들이의 덧셈과 뺄셈

```
    1
    2 L   600 mL
 + 3 L   800 mL
 ───────────────
    6 L   400 mL
```
> mL끼리의 합이
> 1000 mL이거나
> 1000 mL를 넘으면
> 1000 mL를 1 L로
> 받아올림합니다.

```
    4      1000
    5 L   200 mL
 − 1 L   700 mL
 ───────────────
    3 L   500 mL
```
> mL끼리 뺄 수 없으면
> 1 L를 1000 mL로
> 받아내림합니다.

❊ 무게 비교하기

참외   바둑돌 30개   포도   바둑돌 35개

포도가 참외보다 바둑돌 35−30＝5(개)
만큼 더 무겁습니다.

❊ 무게의 단위

무게의 단위: 킬로그램(kg), 그램(g), 톤(t)

$$1 kg = 1000 g$$

$$1 t = 1000 kg$$

❊ 무게의 덧셈과 뺄셈

```
    1
    1 kg   300 g
 + 2 kg   900 g
 ───────────────
    4 kg   200 g
```
> g끼리의 합이
> 1000 g이거나
> 1000 g을 넘으면
> 1000 g을 1 kg으로
> 받아올림합니다.

```
    5      1000
    6 kg   400 g
 − 3 kg   800 g
 ───────────────
    2 kg   600 g
```
> g끼리 뺄 수 없으면
> 1 kg을 1000 g으로
> 받아내림합니다.

1 다음 냄비에 물을 가득 채우려면 ㉮, ㉯, ㉰ 컵으로 다음과 같이 각각 부어야 합니다. 들이가 적은 순서대로 컵의 기호를 써 보세요.

컵	㉮	㉯	㉰
부은 횟수(번)	7	9	5

❶ 알맞은 말에 ○표 하세요.

> 물을 부은 횟수가 많을수록 컵의 들이가 (적습니다 , 많습니다).

❷ 들이가 가장 적은 컵의 기호를 써 보세요.

(   )

❸ 들이가 적은 순서대로 컵의 기호를 써 보세요.

(   )

2 같은 그릇에 물을 가득 채우기 위해 세 친구가 각각의 컵으로 다음과 같이 부었습니다. 들이가 적은 컵을 가지고 있는 친구부터 순서대로 이름을 써 보세요.

(   )

3 다음 냄비에 물을 가득 채우려면 ㉮, ㉯, ㉰ 컵으로 다음과 같이 각각 부어야 합니다. 들이가 많은 순서대로 컵의 기호를 써 보세요.

컵	㉮	㉯	㉰
부은 횟수(번)	11	13	17

(   )

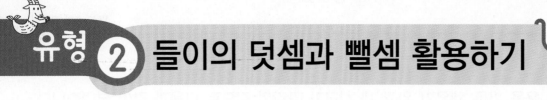

유형 2 들이의 덧셈과 뺄셈 활용하기 문제 해결

1 다음을 보고 호영이네 바가지의 들이는 몇 mL인지 구해 보세요.

우리집 바가지의 들이는 2 L 200 mL야. 정호

우리집 바가지의 들이는 정호네 바가지의 들이보다 200 mL 더 많아. 지우

우리집 바가지의 들이는 지우네 바가지의 들이보다 500 mL 더 적어. 호영

❶ 지우네 바가지의 들이는 몇 L 몇 mL일까요?

( )

❷ 호영이네 바가지의 들이는 몇 L 몇 mL일까요?

( )

❸ 호영이네 바가지의 들이는 몇 mL일까요?

( )

2 다음을 보고 실험도구 ㉰의 들이는 몇 mL인지 구해 보세요.

(   )

3 영훈이와 보라는 1 L 500 mL가 들어 있는 주스를 각각 사서 마셨습니다. 다음을 읽고 두 사람이 마신 주스는 모두 몇 L 몇 mL인지 구해 보세요.

> 영훈: 내가 마시고 남은 주스는 700 mL야.
> 보라: 내가 마시고 남은 주스는 600 mL야.

(   )

1 다음은 어느 식당에서 하루에 사용하는 재료의 무게를 나타낸 표입니다. 이 식당에서 하루에 사용하는 재료의 전체 무게가 21 kg 100 g이라면 양파의 무게는 몇 kg 몇 g인지 구해 보세요.

돼지고기	양파	감자	무
7200 g		3 kg 800 g	4 kg 500 g

❶ 하루에 사용하는 돼지고기는 몇 kg 몇 g일까요?

(   )

❷ 양파를 제외한 나머지 재료의 무게는 모두 몇 kg 몇 g인지 구해 보세요.

(   )

❸ 하루에 사용하는 양파의 무게는 몇 kg 몇 g인지 구해 보세요.

(   )

2 다음은 지영이네 집에서 일주일 동안 나온 재활용품의 무게를 나타낸 표입니다. 지영이네 집에서 일주일 동안 나온 재활용품의 전체 무게가 9 kg 100 g이라면 병류의 무게는 몇 kg 몇 g인지 구해 보세요.

종이류	플라스틱류	병류	캔류
1500 g	1 kg 600 g		2 kg 800 g

(   )

3 돼지고기 5근을 사서 요리하는 데 1 kg 600 g을 사용하였습니다. 남은 돼지고기는 몇 kg 몇 g인지 구해 보세요.
(단, 돼지고기 한 근은 600 g입니다.)

(   )

1 무게가 같은 멜론 5개가 들어 있는 상자의 무게는 7 kg 600 g입니다. 그중에서 멜론 2개를 빼고 다시 무게를 재어 보니 4 kg 800 g이었습니다. 상자만의 무게는 몇 g 인지 구해 보세요.

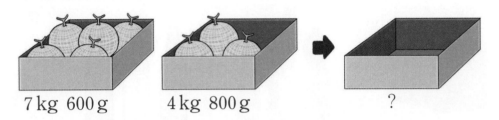

7 kg 600 g   4 kg 800 g   ?

❶ 멜론 2개의 무게는 몇 kg 몇 g일까요?

(   )

❷ 멜론 1개의 무게는 몇 kg 몇 g일까요?

(   )

❸ 상자만의 무게는 몇 g일까요?

(   )

2 무게가 같은 농구공 4개가 들어 있는 상자의 무게는 3 kg 600 g입니다. 그중에서 농구공 2개를 빼고 다시 무게를 재어 보니 2 kg 400 g이었습니다. 상자만의 무게는 몇 kg 몇 g인지 구해 보세요.

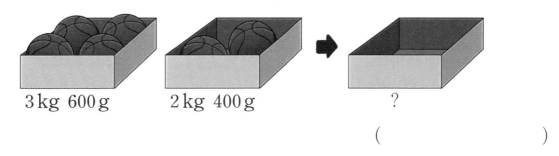

3 kg 600 g   2 kg 400 g   ?

(   )

3 무게가 같은 세제통 4개가 들어 있는 상자의 무게는 8 kg 500 g입니다. 그중에서 세제통 3개를 빼고 다시 무게를 재어 보니 3 kg 700 g이었습니다. 세제통 2개가 들어 있는 상자의 무게는 몇 kg 몇 g인지 구해 보세요.

(   )

1 들이가 다음과 같은 두 물통을 모두 사용하여 빈 수조에 물 5 L를 담는 방법을 알아보세요.

㉮ 1 L 500 mL ㉯ 2 L

❶ ☐ 안에 알맞은 수를 써넣으세요.

㉮ 물통에 물을 가득 담아 수조에 2번 부으면

1 L 500 mL + 1 L 500 mL = ☐ L입니다.

3 L + ☐ L = 5 L이므로 수조에 물을 ☐ L 더 담아야 합니다.

따라서 들이가 2 L인 ㉯ 물통에 물을 가득 담아 수조에 ☐ 번 부으면 수조 안의 물의 양은 5 L입니다.

❷ 위 ❶번과 다른 방법으로 수조에 물 5 L를 담아 보세요.

㉮ 물통에 물을 가득 담아 수조에 6번 부으면 ☐ L입니다.

9 L − ☐ L = 5 L이므로 수조에 있는 물을 ☐ L 덜어 내야 합니다.

2 L + 2 L = ☐ L이므로 수조에 있는 물을 ☐ 물통에 가득 담아 ☐ 번 덜어 내면 수조에 남은 물의 양은 5 L입니다.

2 들이가 다음과 같은 두 물통을 모두 사용하여 빈 수조에 물 1 L를 담는 방법을 2가지 완성해 보세요.

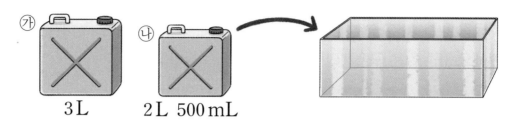

3 L 2 L 500 mL

방법 1 ㉮ 물통에 물을 가득 담아 수조에 2번 부으면 □ L입니다.

6 L− □ L=1 L이므로 수조에 있는 물을 □ L 덜어 내야 합니다.

2 L 500 mL+2 L 500 mL= □ L이므로 수조에 있는 물을 □ 물통에

가득 담아 □ 번 덜어 내면 수조에 남은 물의 양은 1 L입니다.

방법 2 ㉯ 물통에 물을 가득 담아 수조에 4번 부으면 □ L입니다.

10 L− □ L=1 L이므로 수조에 있는 물을 □ L 덜어 내야 합니다.

3 L+3 L+3 L= □ L이므로 수조에 있는 물을 □ 물통에 가득 담아

□ 번 덜어 내면 수조에 남은 물의 양은 1 L입니다.

3 들이가 다음과 같은 두 물통을 모두 사용하여 빈 수조에 물 6 L를 담는 방법을 써 보세요.

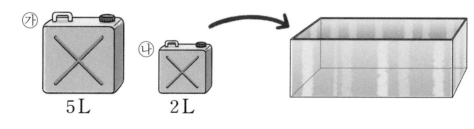

5 L 2 L

방법

_____

_____

_____

유형 6 구슬의 무게 구하기

1 저울을 보고 **가** 구슬 1개의 무게가 15 g일 때 **라** 구슬 1개의 무게는 몇 g인지 구해 보세요. (단, 같은 구슬끼리는 무게가 각각 같습니다.)

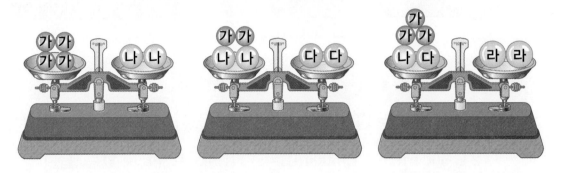

① **나** 구슬 1개의 무게는 몇 g일까요?

( )

② **다** 구슬 1개의 무게는 몇 g일까요?

( )

③ **라** 구슬 1개의 무게는 몇 g일까요?

( )

2 저울을 보고 지우개 1개의 무게가 20 g일 때 쇠구슬 1개의 무게는 몇 g인지 구해 보세요.
(단, 같은 물건끼리는 무게가 각각 같습니다.)

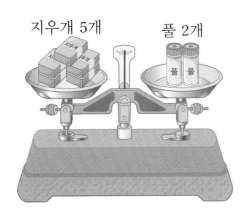

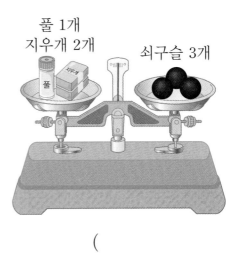

(   )

5
단원

3 치약, 쇠구슬, 풀의 무게를 비교하였습니다. 치약 1개, 쇠구슬 1개, 풀 1개 중 무게가 가장 가벼운 것은 어느 것인지 써 보세요. (단, 같은 물건끼리는 무게가 각각 같습니다.)

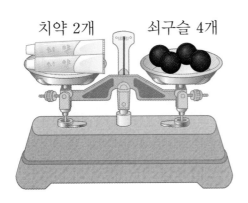

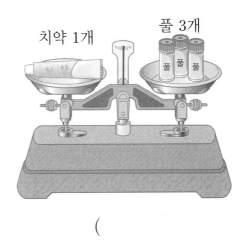

(   )

1 계산에서 잘못된 부분을 찾아 그 이유를 쓰고 바르게 계산해 보세요.

$$
\begin{array}{r}
4 \text{ kg} \ \ 600 \text{ g} \\
+ \ 3 \text{ kg} \ \ 700 \text{ g} \\
\hline
7 \text{ kg} \ \ 300 \text{ g}
\end{array}
$$
➡
$$
\begin{array}{r}
4 \text{ kg} \ \ 600 \text{ g} \\
+ \ 3 \text{ kg} \ \ 700 \text{ g} \\
\hline

\end{array}
$$

이유 _____

_____

2 들이가 1000 mL인 바가지에 물을 가득 담아 세숫대야에 4번 부었더니 가득 찼습니다. 세숫대야의 들이는 몇 L일까요?

(   )

3 감자가 ㉮ 상자에는 3600 g 들어 있고 ㉯ 상자에는 2 kg 890 g 들어 있습니다. 어느 상자에 감자가 몇 g 더 많이 들어 있는지 차례로 써 보세요.

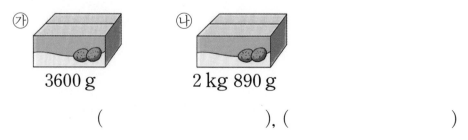

㉮   ㉯

3600 g   2 kg 890 g

(   ), (   )

4 ☐ 안에 알맞은 수를 써넣으세요.

(1)
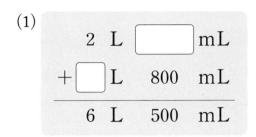

$$
\begin{array}{r}
2\ \text{L}\ \boxed{}\ \text{mL} \\
+\ \boxed{}\ \text{L}\quad 800\ \text{mL} \\
\hline
6\ \text{L}\quad 500\ \text{mL}
\end{array}
$$

(2)
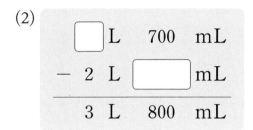

$$
\begin{array}{r}
\boxed{}\ \text{L}\quad 700\ \text{mL} \\
-\ 2\ \text{L}\ \boxed{}\ \text{mL} \\
\hline
3\ \text{L}\quad 800\ \text{mL}
\end{array}
$$

5 승기, 윤아, 지원이는 각각 같은 그릇에 물을 가득 채우려고 합니다. 서로 다른 컵을 사용하여 승기는 7번, 윤아는 10번, 지윤이는 6번 부었더니 그릇에 물이 가득 찼습니다. 들이가 적은 컵을 가지고 있는 친구부터 순서대로 이름을 써 보세요.

(   )

6 다음을 보고 ㉰의 들이는 몇 mL인지 구해 보세요.

- ㉮의 들이는 2 L 600 mL입니다.
- ㉯의 들이는 ㉮의 들이보다 600 mL 더 많습니다.
- ㉰의 들이는 ㉯의 들이보다 2 L 700 mL 더 적습니다.

㉮  ㉯  ㉰

(   )

7 자동차에 휘발유가 9 L 200 mL 들어 있습니다. 이 휘발유를 어제는 2 L 500 mL 사용했고, 오늘은 3 L 600 mL 사용했습니다. 자동차에 남아 있는 휘발유는 몇 L 몇 mL인지 구해 보세요.

(   )

8 들이가 3 L인 주전자에 물을 가득 채우려고 합니다. 들이가 600 mL인 물통에 물을 가득 담아 몇 번 부어야 하는지 구해 보세요.

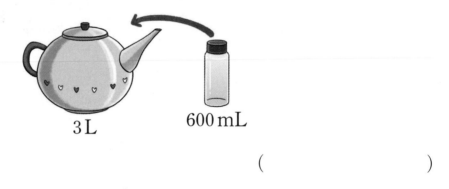

3 L   600 mL

(   )

9 혜승이네 집에 토마토가 8900 g 있었습니다. 그중에서 3 kg 500 g을 먹고 2 kg 700 g을 새로 사 왔습니다. 혜승이네 집에 있는 토마토는 몇 kg 몇 g인지 구해 보세요.

(   )

10 냉장고에 1 L 500 mL씩 들어 있는 주스가 2병 있습니다. 이 주스를 언니와 주아가 각각 370 mL씩 마셨습니다. 남은 주스는 몇 L 몇 mL인지 구해 보세요.

(   )

11 가영, 준수, 혜미 세 사람의 몸무게의 합은 98 kg 800 g입니다. 다음을 보고 혜미의 몸무게는 몇 kg 몇 g인지 구해 보세요.

(   )

12 연필 7자루의 무게는 가위 2개와 연필 2자루의 무게의 합과 같습니다. 연필 1자루의 무게가 100 g일 때, 가위 1개의 무게는 몇 g인지 구해 보세요. (단, 같은 물건끼리는 무게가 각각 같습니다.)

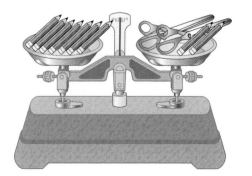

(   )

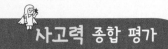

13 들이가 다음과 같은 두 물통을 모두 사용하여 빈 수조에 물 7 L를 담는 방법을 완성해 보세요.

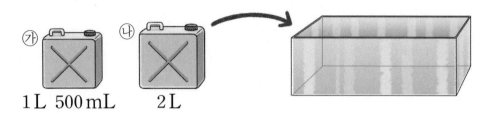

⑦ 1 L 500 mL   ④ 2 L

⑭ 물통에 물을 가득 담아 수조에 5번 부으면 ☐ L입니다.

10 L − ☐ L = 7 L이므로 수조에 있는 물을 ☐ L 덜어 내야 합니다.

1 L 500 mL + 1 L 500 mL = ☐ L이므로 수조에 있는 물을 ☐ 물통에 가득

담아 ☐ 번 덜어 내면 수조에 남은 물의 양은 7 L입니다.

14 무게가 같은 수박 4통이 들어 있는 상자의 무게는 8 kg 500 g입니다. 그중에서 수박 2통을 빼고 다시 무게를 재어 보니 4 kg 900 g이었습니다. 상자만의 무게는 몇 kg 몇 g인지 구해 보세요.

(   )

15 저울을 보고 **가** 구슬 1개의 무게가 10 g일 때 **다** 구슬 1개의 무게는 몇 g인지 구해 보세요.
(단, 같은 구슬끼리는 무게가 각각 같습니다.)

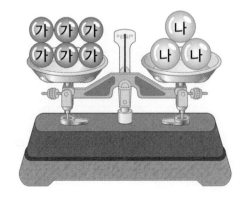 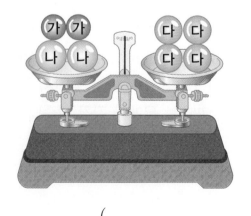

(   )

6 자료의 정리

✿ 자료를 수집하여 표로 나타내기

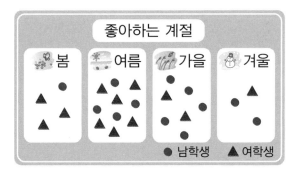

좋아하는 계절

● 남학생 ▲ 여학생

- 조사한 내용을 표로 나타내기

좋아하는 계절

계절	봄	여름	가을	겨울	합계
학생 수(명)	4	10	7	3	24

① 가장 많은 학생이 좋아하는 계절은 여름입니다.

② 가장 적은 학생이 좋아하는 계절은 겨울입니다.

- 다른 방법으로 표로 나타내기 → 여학생과 남학생으로 나누어 나타내기

좋아하는 계절 → 가장 많은 여학생이 좋아하는 계절: 여름

계절	봄	여름	가을	겨울	합계
여학생 수(명)	3	⑥	2	1	12
남학생 수(명)	1	4	⑤	2	12

→ 가장 많은 남학생이 좋아하는 계절: 가을

✿ 그림그래프 알아보고 그리기

- <u>그림그래프</u>: 알려고 하는 수(조사한 수)를 그림으로 나타낸 그래프

좋아하는 계절

계절	학생 수
봄	😊 😊 😊 😊
여름	😊 😊 → 큰 그림의 수가 가장 많으므로 여름을 좋아하는 학생 수가 가장 많습니다.
가을	😊 😊 😊
겨울	😊 😊 😊

→ 그림의 단위
😊 5명
😊 1명

① 😊은 5명, 😊은 1명을 나타냅니다.

② 봄: 😊이 4개로 4명입니다.

여름: 😊이 2개로 10명입니다.
→ 5+5

가을: 😊이 1개, 😊이 2개로 7명입니다.

겨울: 😊이 3개로 3명입니다.

- 그림그래프 그리기

① 그림을 몇 가지로 해야 할지 생각합니다.

② 어떤 그림으로 나타낼지 생각합니다.

③ 그림으로 정할 단위는 어떻게 할 것인지 생각합니다.

1 다음은 정호네 과일 가게에서 판매하는 과일입니다. 그림을 보고 물음에 답하세요.

① 그림을 보고 표로 나타내어 보세요.

종류별 과일의 수

종류	사과	감	오렌지	수박	합계
과일의 수(개)					

② 가장 많은 과일을 써 보세요.

(　　　　　　　)

③ 수박 수의 2배인 과일은 무엇일까요?

(　　　　　　　)

2 승기네 반 학생들의 혈액형을 조사하였습니다. 조사한 자료를 표로 나타내어 보고 학생 수가 O형의 절반인 혈액형을 써 보세요.

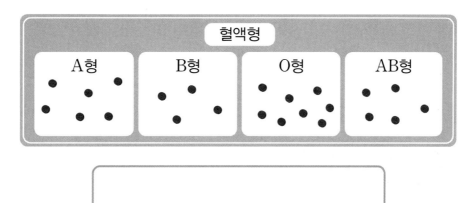

혈액형

A형   B형   O형   AB형

혈액형	A형	B형	O형	AB형	합계
학생 수(명)					

(   )

3 지민이네 반 학생들이 좋아하는 빵을 조사하였습니다. 조사한 자료를 표로 나타내어 보고 마늘빵을 좋아하는 여학생 수와 같은 수의 남학생이 좋아하는 빵을 써 보세요.

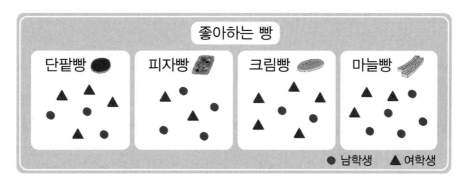

좋아하는 빵

단팥빵   피자빵   크림빵   마늘빵

● 남학생   ▲ 여학생

빵	단팥빵	피자빵	크림빵	마늘빵	합계
여학생 수(명)					
남학생 수(명)					

(   )

1 진수네 모둠 학생들이 일주일 동안 마신 물의 양을 조사하여 그림그래프로 나타내었습니다. 물음에 답하세요.

학생별 마신 물의 양

이름	마신 물의 양
가영	🌢 🌢 🌢 🌢 🌢
진수	🌢 🌢 🌢
영철	🌢 🌢 🌢
나연	🌢 🌢 🌢 🌢 🌢 🌢 🌢 🌢

🌢 10 L
🌢 1 L

❶ 가영이가 일주일 동안 마신 물의 양은 몇 L인지 구해 보세요.

( )

❷ 물을 많이 마신 순서대로 이름을 써 보세요.

( )

❸ WHO(세계보건기구)에서 권장하는 하루 물 섭취 권장량은 약 2 L입니다. 권장량보다 물을 적게 마신 사람의 이름을 써 보세요.

( )

2 어느 햄버거 가게에서 일주일 동안 팔린 햄버거의 수를 그림그래프로 나타내었습니다. 불고기버거는 새우버거의 몇 배만큼 팔렸는지 구해 보세요.

팔린 햄버거의 수

종류	햄버거의 수
새우버거	
치킨버거	
치즈버거	
불고기버거	

🍔 10개
🍔 1개

(   )

3 어느 가게에서 일주일 동안 팔린 공의 수를 그림그래프로 나타내었습니다. 다음 주에는 어떤 공을 가장 많이 준비하면 좋을지 공의 종류와 그 이유를 써 보세요.

6 단원

팔린 공의 수

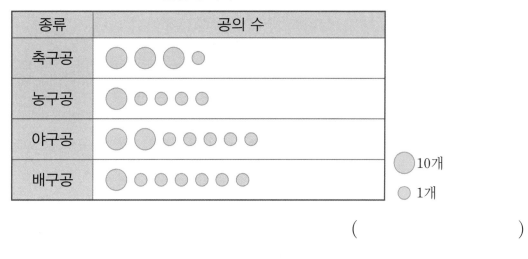

종류	공의 수
축구공	
농구공	
야구공	
배구공	

⚪ 10개
· 1개

(   )

이유

_____

유형 3 그림그래프 완성하기   문제 해결

1 민지네 모둠 학생들이 한 달 동안 읽은 책 수를 조사하여 나타낸 그림그래프입니다. 책을 가장 적게 읽은 사람은 누구인지 써 보세요.

학생별 읽은 책 수

이름	책 수
승기	
윤아	
민지	
효정	

우리들이 읽은 책은 모두 136권이네!

민지

📕 10권 📄 1권

❶ 민지가 읽은 책은 몇 권일까요?

(   )

❷ 그림그래프를 완성해 보세요.

❸ 책을 가장 적게 읽은 사람은 누구일까요?

(   )

2 민호가 4개월 동안 받은 칭찬 붙임딱지 수를 조사하여 그림그래프로 나타내었습니다. 4개월 동안 받은 칭찬 붙임딱지 수가 137장일 때 그림그래프를 완성하고 칭찬 붙임딱지를 가장 많이 받은 달을 써 보세요.

월별 받은 칭찬 붙임딱지 수

월	칭찬 붙임딱지 수
3월	☺ ☺ ☺ ☺ ☺ ☺
4월	
5월	☺ ☺ ☺ ☺ ☺ ☺ ☺
6월	☺ ☺ ☺ ☺ ☺ ☺ ☺

☺ 10장
☺ 1장

(   )

3 승기네 학교 3학년 반별 학생 수를 조사하여 그림그래프로 나타내었습니다. 3학년 전체 학생 수가 101명일 때 그림그래프를 완성하고 학생 수가 많은 반부터 차례로 써 보세요.

3학년 반별 학생 수

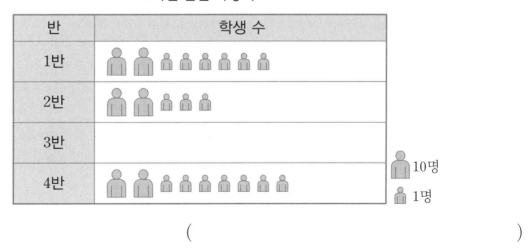

☺ 10명
☺ 1명

(   )

6
단원

1 다음은 광역시별 초등학교 수를 조사하여 몇백몇십으로 나타낸 표입니다. 표를 보고 그림그래프를 완성해 보세요.

광역시별 초등학교 수

광역시	광주	대구	대전	부산	울산	인천	합계
초등학교 수(개)	150	230	150	310	120	250	1210

❶ 표를 보고 그림그래프로 나타내려고 합니다. 단위를 🏰과 🏠으로 나타낸다면 각각 몇 개로 나타내면 좋을까요?

🏰 (　　　　　　　)

🏠 (　　　　　　　)

❷ 표를 보고 그림그래프를 완성해 보세요.

광역시별 초등학교 수

광역시	초등학교 수
광주	
대구	
대전	
부산	
울산	
인천	

🏰 [　　]개

🏠 [　　]개

2 어느 지역의 마을별 옥수수 생산량을 조사하여 표로 나타내었습니다. 표를 보고 그림그래프를 완성해 보세요.

마을별 옥수수 생산량

마을	가	나	다	라	합계
생산량(상자)	240	360	410	320	1330

마을별 옥수수 생산량

마을	옥수수 생산량
가	🌽🌽🌽🌽🌽🌽
나	
다	
라	

🌽 ☐ 상자

🌽 ☐ 상자

3 어느 마트에서 한 달 동안 우유의 판매량을 조사하여 표로 나타내었습니다. 표를 보고 그림그래프를 완성해 보세요.

우유 판매량

종류	딸기 맛	초콜릿 맛	바나나 맛	커피 맛	합계
판매량(개)	231	324	253	103	911

우유 판매량

종류	우유 판매량
딸기 맛	
초콜릿 맛	
바나나 맛	
커피 맛	

🥛 ☐ 개

🥛 ☐ 개

🥛 ☐ 개

1 호영이네 모둠 친구들이 한 달 동안 도서관에서 빌린 책 수를 나타낸 그림그래프입니다. 재현이는 건희보다 책을 7권 더 많이 빌렸습니다. 빌린 책 수가 가장 많은 사람과 가장 적은 사람의 책 수의 차를 구해 보세요.

빌린 책 수

이름	책 수
호영	▱ ▱ ▱ ▱ ▱ ▱
건희	
재현	▱ ▱ ▱ ▱ ▱
나래	▱ ▱ ▱ ▱ ▱ ▱ ▱ ▱

▱ 10권
▱ 1권

❶ 재현이가 빌린 책은 몇 권일까요?

(   )

❷ 건희가 빌린 책은 몇 권일까요?

(   )

❸ 빌린 책 수가 가장 많은 사람과 가장 적은 사람의 책 수의 차를 구해 보세요.

(   )

2 제과점별 하루 동안 판매한 빵의 수를 나타낸 그림그래프입니다. 라 제과점은 나 제과점보다 빵을 15개 더 많이 팔았습니다. 판매량이 가장 많은 제과점과 가장 적은 제과점의 판매량의 차를 구해 보세요.

제과점별 빵 판매량

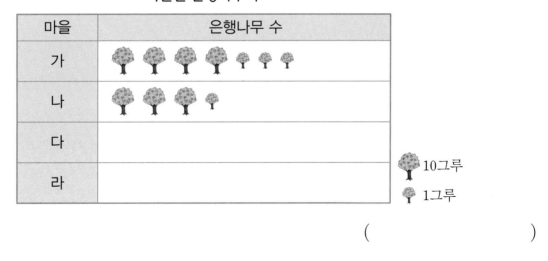

(   )

3 마을별 은행나무 수를 나타낸 그림그래프입니다. 은행나무가 가 마을은 다 마을보다 11 그루 더 많고 나 마을은 라 마을보다 20그루 더 적습니다. 은행나무 수가 가장 많은 마을과 가장 적은 마을의 은행나무 수의 차를 구해 보세요.

마을별 은행나무 수

(   )

1 수도권 지역의 코로나 바이러스 감염증—19(COVID—19) 완치 환자 수를 조사하여 그림그래프로 나타내었습니다. 세 지역의 완치 환자 수의 합은 1007명이고 경기 지역의 완치 환자 수는 인천 지역보다 418명 더 많습니다. 그림그래프를 완성해 보세요.

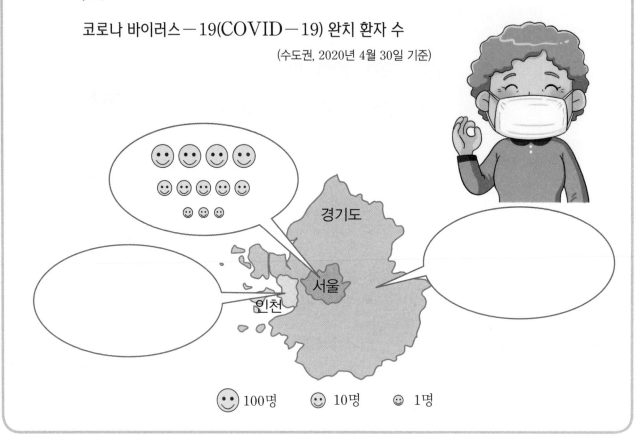

코로나 바이러스—19(COVID—19) 완치 환자 수
(수도권, 2020년 4월 30일 기준)

😊 100명   😊 10명   😊 1명

❶ 인천 지역의 완치 환자 수를 구해 보세요.

(   )

❷ 경기 지역의 완치 환자 수를 구해 보세요.

(   )

❸ 그림그래프를 완성해 보세요.

2 승혜는 마을별 나무 수를 조사하여 그림그래프로 나타내었습니다. 다 마을의 나무 수는 나 마을의 나무 수보다 24그루 적고 네 마을의 나무 수의 합은 107그루입니다. 그림그래프를 완성해 보세요.

마을별 나무 수

마을	나무 수
가	🌳🌳🌳🌲🌲🌲🌲
나	
다	
라	🌳🌳🌲🌲🌲🌲🌲

🌳 10그루
🌲 1그루

3 민주는 농장별 소의 수를 조사하여 그림그래프로 나타내었습니다. 사랑 농장의 소의 수는 빛나 농장의 소의 수의 반이고 네 농장의 소의 수의 합은 105마리입니다. 그림그래프를 완성해 보세요.

농장별 소의 수

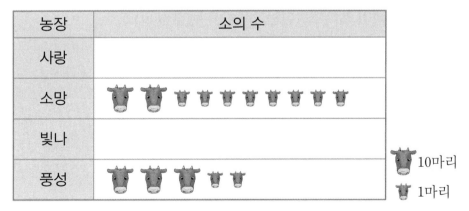

농장	소의 수
사랑	
소망	🐄🐄🐂🐂🐂🐂🐂🐂🐂🐂
빛나	
풍성	🐄🐄🐄🐂🐂

🐄 10마리
🐂 1마리

[1~3] 병철이네 반 학생들이 배우고 싶은 운동을 조사하였습니다. 조사한 자료를 보고 물음에 답하세요.

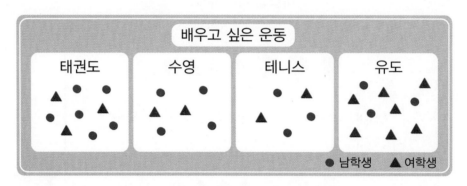

1 조사한 자료를 보고 표를 완성해 보세요.

배우고 싶은 운동별 학생 수

운동	태권도	수영	테니스	유도	합계
여학생 수(명)					
남학생 수(명)					

2 가장 많은 여학생이 배우고 싶은 운동은 무엇일까요?

( )

3 조사에 참여한 남학생은 여학생보다 몇 명 더 많은지 구해 보세요.

( )

[4~6] 혜정이네 아파트 단지별 자동차 수를 조사하여 그림그래프로 나타내었습니다. 물음에 답하세요.

아파트 단지별 자동차 수

단지	자동차 수
1	
2	
3	
4	

🚗 10대   🚗 1대

4 혜정이네 아파트에 있는 자동차는 모두 몇 대인지 구해 보세요.

(   )

5 자동차 수가 가장 많은 단지는 어느 곳인지 써 보세요.

(   )

6 2단지의 자동차 수는 4단지의 자동차 수보다 몇 대 더 많은지 구해 보세요.

(   )

[7~10] 어느 아파트의 동별 소화기 수를 조사하여 그림그래프로 나타내었습니다. 가 동의 소화기 수는 다 동의 소화기 수의 3배이고 4개 동의 소화기의 수의 합은 110개입니다. 물음에 답하세요.

동별 소화기 수

동	소화기 수
가	
나	
다	
라	

🧯 10개
🧯 1개

7 다 동의 소화기 수를 구해 보세요.

( )

8 가 동의 소화기의 수를 구해 보세요.

( )

9 그림그래프를 완성해 보세요.

10 소화기 수가 가장 많은 동과 가장 적은 동의 소화기 수의 차를 구해 보세요.

( )

[11~13] 오염된 물 100 mL를 정화하는 데 필요한 물의 양을 조사하여 표로 나타내었습니다. 물음에 답하세요.

오염된 물 100 mL를 정화하는 데 필요한 물의 양

음식	식용유	우유	커피	라면 국물	합계
물의 양(L)	2700	3800	1440	370	8310

11 그림그래프로 나타낼 때 단위를 각각 얼마로 나타내면 좋을지 써 보세요.

( ), ( ), ( )

12 오염된 물을 정화하는 데 가장 많은 양의 물이 필요한 음식을 써 보세요.

( )

13 표를 보고 그림그래프를 완성해 보세요.

오염된 물 100 mL를 정화하는 데 필요한 물의 양

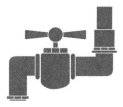

식용유	
우유	
커피	
라면 국물	

L

L

L

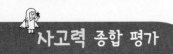

[14~16] 혜미는 ㉮, ㉯, ㉰, ㉱, ㉲, ㉳ 마을의 가게 수를 조사하여 그림그래프로 나타내었습니다. 도로의 위쪽 마을의 가게 수의 합이 42개일 때 물음에 답하세요.

마을별 가게 수

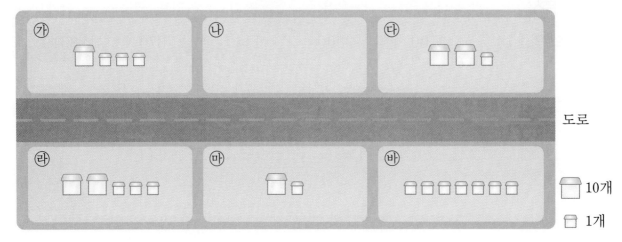

14 ㉯ 마을의 가게 수를 구하여 그림그래프를 완성해 보세요.

15 도로의 아래쪽 마을의 가게 수의 합은 몇 개인지 구해 보세요.

( )

16 도로의 위쪽 마을과 아래쪽 마을의 가게 수를 같게 하려고 합니다. ㉮~㉳ 마을 중 어느 마을에 가게를 몇 개 더 만들면 좋을지 차례로 써 보세요.

( ), ( )

Go!
아싸

GO!

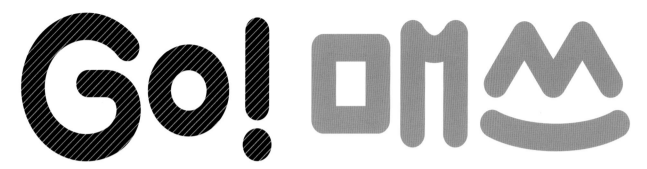

사고력
중심

교과서 GO! 사고력 GO!

Jump
유형 사고력

정답과 풀이   수학 3-2

열심히
풀었으니까,
한 번 맞춰 볼까?

GO! 매쓰 Jump ➡

정답과 풀이

수학 3-2

유형 ① 모든 변의 길이의 합 구하기 　문제 해결

정답과 풀이 2쪽

1 다음 두 도형은 다섯 변의 길이가 각각 모두 같은 오각형입니다. 두 도형의 모든 변의 길이의 합은 몇 cm인지 구해 보세요.

254 cm　237 cm

가　나

❶ 오각형 가의 다섯 변의 길이의 합은 몇 cm일까요?

(**1270 cm**)

✤ 254×5=1270 (cm)

❷ 오각형 나의 다섯 변의 길이의 합은 몇 cm일까요?

(**1185 cm**)

✤ 237×5=1185 (cm)

❸ 두 도형의 모든 변의 길이의 합은 몇 cm인지 구해 보세요.

(**2455 cm**)

✤ 1270+1185=2455 (cm)

2 다음 두 도형은 세 변의 길이가 각각 모두 같은 삼각형입니다. 두 도형의 모든 변의 길이의 합은 몇 cm인지 구해 보세요.

375 cm　419 cm

가　나

(**2382 cm**)

1
단원

✤ (삼각형 가의 세 변의 길이의 합)=375×3=1125 (cm)
　(삼각형 나의 세 변의 길이의 합)=419×3=1257 (cm)
　➔ (두 도형의 모든 변의 길이의 합)=1125+1257=2382 (cm)

3 다음은 네 변의 길이가 모두 같은 사각형과 여섯 변의 길이가 모두 같은 육각형입니다. 두 도형의 모든 변의 길이의 합은 몇 cm인지 구해 보세요.

427 cm　286 cm

가　나

(**3424 cm**)

✤ (사각형 가의 네 변의 길이의 합)=427×4=1708 (cm)
　(육각형 나의 여섯 변의 길이의 합)=286×6=1716 (cm)
　➔ (두 도형의 모든 변의 길이의 합)=1708+1716=3424 (cm)

유형 ② 두 수의 차 구하기 　문제 해결

정답과 풀이 2쪽

1 공원에 세발자전거 25대와 두발자전거 89대가 있습니다. 공원에 있는 세발자전거의 바퀴 수와 두발자전거의 바퀴 수의 차는 몇 개인지 구해 보세요. (단, 세발자전거 한 대의 바퀴는 3개이고 두발자전거 한 대의 바퀴는 2개입니다.)

❶ 세발자전거 25대의 바퀴는 몇 개일까요?

(**75개**)

✤ (세발자전거 25대의 바퀴 수)=3×25=75 (개)

❷ 두발자전거 89대의 바퀴는 몇 개일까요?

(**178개**)

✤ (두발자전거 89대의 바퀴 수)=2×89=178 (개)

❸ 공원에 있는 세발자전거의 바퀴 수와 두발자전거의 바퀴 수의 차는 몇 개인지 구해 보세요.

(**103개**)

✤ 178-75=103 (개)

2 농장에 소 43마리와 닭 57마리가 있습니다. 농장에 있는 소의 다리 수와 닭의 다리 수의 차는 몇 개인지 구해 보세요. (단, 소 한 마리의 다리는 4개이고 닭 한 마리의 다리는 2개입니다.)

(**58개**)

1
단원

✤ (소 43마리의 다리 수)=4×43=172 (개)
　(닭 57마리의 다리 수)=2×57=114 (개)
　➔ 172-114=58 (개)

3 주차장에 오토바이 55대와 승용차 36대가 있습니다. 주차장에 있는 오토바이의 바퀴 수와 승용차의 바퀴 수의 차는 몇 개인지 구해 보세요. (단, 오토바이 한 대의 바퀴는 2개이고 승용차 한 대의 바퀴는 4개입니다.)

(**34개**)

✤ (오토바이 55대의 바퀴 수)=2×55=110 (개)
　(승용차 36대의 바퀴 수)=4×36=144 (개)
　➔ 144-110=34 (개)

유형 ③ 규칙 찾기 추론

1 보기에서 규칙을 찾아 빈칸에 알맞은 수를 써넣으세요.

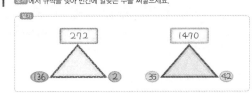
보기

272   1470
136 2   35 42

❖ 136×2=272, 35×42=1470이므로 아래에 있는 두 수의 곱을 위에 쓰는 규칙입니다.

❶

1371
457   3
❖ 457×3=1371

❷

4050
45   90
❖ 45×90=4050

❸

1696
53   32
❖ 53×32=1696

❹
1792
28   64
❖ 28×64=1792

2 보기에서 규칙을 찾아 빈칸에 알맞은 수를 써넣으세요.

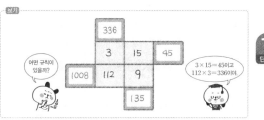
보기

336
3 15 45
1008 112 9
135

어떤 규칙이 있을까?   3×15=45이고 112×3=336이야.

❖ 3×15=45, 112×9=1008, 112×3=336, 15×9=135
이므로 가로줄과 세로줄에 있는 두 수의 곱을 빈칸에 쓰는 규칙입니다.

❶

132
3 30 90
264 44 6
180

❖ 3×30=90, 44×6=264, 3×44=132, 30×6=180

❷
493
29 31 899
85 17 5
155

❖ 29×31=899, 17×5=85, 29×17=493, 31×5=155

 유형 ④ 바르게 계산한 값 구하기 문제 해결

1 두 친구의 대화를 읽고 바르게 계산한 값을 구해 보세요.

어떤 수에 3을 곱해야 하는데 잘못하여 빼었더니 284가 되었어.   어떤 수를 □라 하고 잘못 계산한 식을 세워 봐.   이제 어떤 수를 구해서 바른 계산을 해 봐.   고마워.

❶ 어떤 수를 □라 하고 잘못 계산한 식을 세워 보세요.
식 □-3=284

❖ 어떤 수에서 3을 빼었더니 284가 되었습니다. ➜ □-3=284

❷ 어떤 수를 구해 보세요.
(287)

❖ □-3=284 ➜ 284+3=□, □=287

❸ 바르게 계산한 값을 구해 보세요.
(861)

❖ 바른 계산은 어떤 수에 3을 곱하는 것입니다. ➜ 287×3=861

2 어떤 수에 15를 곱해야 할 것을 잘못하여 빼었더니 72가 되었습니다. 바르게 계산한 값을 구해 보세요.
(1305)

❖ 어떤 수를 □라 하면 잘못 계산한 식은 □-15=72입니다.
➜ 72+15=□, □=87
따라서 바르게 계산하면 87×15=1305입니다.

3 어떤 수에 9를 곱해야 할 것을 잘못하여 더했더니 416이 되었습니다. 바르게 계산한 값을 구해 보세요.
(3663)

❖ 어떤 수를 □라 하면 잘못 계산한 식은 □+9=416입니다.
➜ 416-9=□, □=407
따라서 바르게 계산하면 407×9=3663입니다.

4 어떤 수에 48을 곱해야 할 것을 잘못하여 더했더니 80이 되었습니다. 바르게 계산한 값을 구해 보세요.
(1536)

❖ 어떤 수를 □라 하면 잘못 계산한 식은 □+48=80입니다.
➜ 80-48=□, □=32
따라서 바르게 계산하면 32×48=1536입니다.

유형 5 전체 길이 구하기   문제 해결

정답과 풀이 4쪽

1 길이가 248 cm인 색 테이프 7장을 8 cm씩 겹치게 이어 붙였습니다. 이어 붙인 색 테이프의 전체 길이는 몇 cm인지 구해 보세요.

❶ 이어 붙이기 전 색 테이프 7장의 길이의 합은 몇 cm일까요?

(**1736 cm**)

✧ 248×7=1736 (cm)

❷ 겹쳐진 부분은 모두 몇 군데일까요?

(**6군데**)

✧ (겹쳐진 부분의 수)=(색 테이프 수)−1
=7−1=6(군데)

❸ 겹쳐진 부분의 길이의 합은 몇 cm일까요?

(**48 cm**)

✧ 8 cm씩 6군데 겹치므로 겹쳐진 부분의 길이의 합은
8×6=48 (cm)입니다.

❹ 이어 붙인 색 테이프의 전체 길이는 몇 cm인지 구해 보세요.

(**1688 cm**)

✧ (이어 붙인 색 테이프의 전체 길이)=1736−48=1688 (cm)

2 길이가 43 cm인 색 테이프 25장을 4 cm씩 겹치게 이어 붙였습니다. 이어 붙인 색 테이프의 전체 길이는 몇 cm인지 구해 보세요.

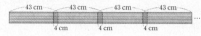

(**979 cm**)

✧ (이어 붙이기 전 색 테이프 25장의 길이의 합)=43×25
=1075 (cm)
4 cm씩 24군데 겹치므로 겹쳐진 부분의 길이의 합은
4×24=96 (cm)입니다.
➡ (이어 붙인 색 테이프의 전체 길이)=1075−96=979 (cm)

3 길이가 55 cm인 막대 20개를 9 cm씩 겹치게 이어 묶었습니다. 이어 묶은 막대의 전체 길이는 몇 cm인지 구해 보세요.

(**929 cm**)

✧ (이어 묶기 전 막대 20개의 길이의 합)=55×20=1100 (cm)
9 cm씩 19군데 겹치므로 겹쳐진 부분의 길이의 합은
9×19=171 (cm)입니다.
➡ (이어 묶은 막대의 전체 길이)=1100−171=929 (cm)

유형 6 계산 결과가 가장 큰(작은) 곱셈식   추론

정답과 풀이 4쪽

1 주어진 수 카드 4장을 모두 한 번씩만 사용하여 (세 자리 수)×(한 자리 수)의 곱셈식을 만들려고 합니다. 이때 계산 결과가 가장 큰 곱셈식과 계산 결과가 가장 작은 곱셈식을 각각 만들고 계산해 보세요.

[2][4][7][9] ➡ □□□ × □

❶ 알맞은 말에 ○표 하세요.

(세 자리 수)×(한 자리 수)의 계산 결과가 가장 크려면 곱하는 한 자리 수에 가장 (큰, 작은) 수를 놓은 후 남은 수로 가장 (큰, 작은) 세 자리 수를 만들어 곱합니다.

✧ 주어진 수의 크기가 ①>②>③>④일 때 오른쪽과 같이 식을 만들면 계산 결과가 가장 큽니다.

❷ 계산 결과가 가장 큰 곱셈식을 만들고 계산해 보세요.

[7][4][2] × [9] = 6678

✧ 9>7>4>2이므로 곱하는 수에 가장 큰 수인 9를 놓고 남은 수로 가장 큰 세 자리 수를 만들면 742입니다.

❸ 알맞은 말에 ○표 하세요. ➡ 742×9=6678

(세 자리 수)×(한 자리 수)의 계산 결과가 가장 작으려면 곱하는 한 자리 수에 가장 (큰, 작은) 수를 놓은 후 남은 수로 가장 (큰, 작은) 세 자리 수를 만들어 곱합니다.

✧ 주어진 수의 크기가 ①>②>③>④일 때 오른쪽과 같이 식을 만들면 계산 결과가 가장 작습니다.

❹ 계산 결과가 가장 작은 곱셈식을 만들고 계산해 보세요.

[4][7][9] × [2] = 958

✧ 9>7>4>2이므로 곱하는 수에 가장 작은 수인 2를 놓고 남은 수로 가장 작은 세 자리 수를 만들면 479입니다.
➡ 479×2=958

2 주어진 수 카드 4장을 모두 한 번씩만 사용하여 (세 자리 수)×(한 자리 수)의 곱셈식을 만들려고 합니다. 이때 계산 결과가 가장 큰 곱셈식과 계산 결과가 가장 작은 곱셈식을 각각 만들고 계산해 보세요.

[3][5][6][8] ➡ □□□ × □

계산 결과가 가장 큰 곱셈식: [6][5][3] × [8] = 5224

계산 결과가 가장 작은 곱셈식: [5][6][8] × [3] = 1704

✧ 계산 결과가 가장 큰 곱셈식: 곱하는 한 자리 수에 가장 큰 수 8을 놓은 후 남은 수 3, 5, 6으로 만든 가장 큰 세 자리 수 653을 곱합니다.
➡ 653×8=5224
계산 결과가 가장 작은 곱셈식: 곱하는 한 자리 수에 가장 작은 수 3을 놓은 후 남은 수 5, 6, 8로 만든 가장 작은 세 자리 수 568을 곱합니다.
➡ 568×3=1704

3 주어진 수 카드 4장을 모두 한 번씩만 사용하여 (두 자리 수)×(두 자리 수)의 곱셈식을 만들려고 합니다. 이때 계산 결과가 가장 큰 곱셈식과 계산 결과가 가장 작은 곱셈식을 각각 만들고 계산해 보세요.

[3][4][8][9] ➡ □□ × □□

계산 결과가 가장 큰 곱셈식: [9][3] × [8][4] = 7812
또는 84×93=7812

계산 결과가 가장 작은 곱셈식: [3][8] × [4][9] = 1862
또는 49×38=1862

✧ • 계산 결과가 가장 큰 곱셈식   • 계산 결과가 가장 작은 곱셈식
9>8>4>3이므로   9>8>4>3이므로

```
    9 3              3 8
  ×  8 4           × 4 9
  ─────           ─────
    3 7 2            3 4 2
  7 4 4 0          1 5 2 0
  ───────         ───────
  7 8 1 2          1 8 6 2
```

정답과 풀이 5쪽

사고력 종합 평가

1 빈칸에 알맞은 수를 써넣으세요.

❖ 5×49=245, 245×7=1715

2 다음은 8개의 변의 길이가 모두 같은 도형입니다. 이 도형의 모든 변의 길이의 합은 몇 cm인지 구해 보세요.

(**1024 cm**)

❖ (8개의 변의 길이의 합)=128×8=1024 (cm)

3 □ 안에 알맞은 수를 써넣으세요.

(1)

(2)
```
      6
  ×  2 3
  1 3 8
```

❖ (1) 일의 자리 계산: 2×4=8
백의 자리 계산: 3×4=12이므로
십의 자리에서
올림한 수는
14-12=2입니다.
십의 자리 계산: □×4=24이므로
□=6입니다.

(2) 일의 자리 계산: 6×3=18이므로
십의 자리로
1을 올림합니다.
십의 자리 계산: 6×□=13-1에서
6×□=12이므로
□=2입니다.

4 주어진 수 카드 4장 중 2장을 골라 한 번씩만 사용하여 만들 수 있는 가장 큰 두 자리 수와 가장 작은 두 자리 수의 곱을 구해 보세요.

(**1748**)

❖ 만들 수 있는 가장 큰 두 자리 수는 76이고, 가장 작은 두 자리 수는 23입니다.
➔ 76×23=1748

5 보기에서 규칙을 찾아 빈칸에 알맞은 수를 써넣으세요.

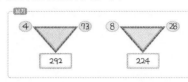

(1)

(2)

❖ 4×73=292, 8×28=224이므로 위에 있는 두 수의 곱을 아래에 쓰는 규칙입니다.
(1) 5×46=230   (2) 9×35=315

6 윤아가 동화책을 하루에 35쪽씩 읽으려고 합니다. 1주일에 7일씩, 2주 동안 읽을 수 있는 동화책은 모두 몇 쪽인지 구해 보세요.

(**490쪽**)

❖ 2주는 7×2=14(일)입니다.
따라서 2주 동안 읽을 수 있는 동화책은 모두 35×14=490(쪽)입니다.

정답과 풀이 5쪽

사고력 종합 평가

7 길의 한쪽에 처음부터 끝까지 28 m 간격으로 깃발 56개를 세웠습니다. 이 길은 몇 m인지 구해 보세요. (단, 깃발의 굵기는 생각하지 않습니다.)

(**1540 m**)

❖ 깃발과 깃발 사이의 간격이 56-1=55(군데)이므로 길은 28×55=1540 (m)입니다.

8 한 변이 42 cm인 정사각형 6개를 그림과 같이 겹치지 않게 이어 붙였습니다. 빨간 선으로 표시된 부분의 길이의 합은 몇 cm인지 구해 보세요.

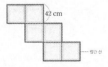

(**588 cm**)

❖ 빨간 선의 길이의 합은 정사각형 한 변의 길이의 14배입니다.
➔ 42×14=588 (cm)

9 농장에 오리 47마리와 돼지 62마리가 있습니다. 농장에 있는 오리의 다리 수와 돼지의 다리 수의 차는 몇 개인지 구해 보세요. (단, 오리 한 마리의 다리는 2개이고 돼지 한 마리의 다리는 4개입니다.)

(**154개**)

❖ (오리 47마리의 다리 수)=2×47=94(개)
(돼지 62마리의 다리 수)=4×62=248(개)
➔ 248-94=154(개)

10 보기에서 규칙을 찾아 빈칸에 알맞은 수를 써넣으세요.

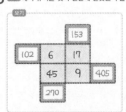 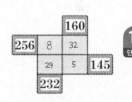

❖ 6×17=102, 45×9=405, 6×45=270, 17×9=153이므로 가로줄과 세로줄에 있는 두 수의 곱을 빈칸에 쓰는 규칙입니다.
➔ 8×32=256, 29×5=145, 8×29=232, 32×5=160

11 어떤 수에 53을 곱해야 할 것을 잘못하여 더했더니 80이 되었습니다. 바르게 계산한 값을 구해 보세요.

(**1431**)

❖ 어떤 수를 □라 하면 잘못 계산한 식은 □+53=80입니다.
➔ 80-53=□, □=27
따라서 바르게 계산하면 27×53=1431입니다.

12 길이가 207 cm인 색 테이프 9장을 9 cm씩 겹치게 이어 붙였습니다. 이어 붙인 색 테이프의 전체 길이는 몇 cm인지 구해 보세요.

(**1791 cm**)

❖ (이어 붙이기 전 색 테이프 9장의 길이의 합)=207×9=1863 (cm)
9 cm씩 8군데로 겹치므로 겹쳐진 부분의 길이의 합은 9×8=72 (cm)입니다.
➔ (이어 붙인 색 테이프의 전체 길이)=1863-72=1791 (cm)

사고력 종합 평가

정답과 풀이 6쪽

13 동호가 4월 한 달 동안 매주 월요일, 수요일, 금요일에는 줄넘기를 각각 95번씩 했고 매주 일요일, 화요일, 목요일, 토요일에는 윗몸 일으키기를 각각 72번씩 했습니다. 동호는 4월 한 달 동안 줄넘기와 윗몸 일으키기 중 무엇을 몇 번 더 많이 했는지 차례로 써 보세요.

(**줄넘기**), (**11번**)

❖ 줄넘기를 한 날은 모두 13일이므로 줄넘기 횟수는 $95 \times 13 = 1235$(번)입니다.
윗몸 일으키기를 한 날은 모두 17일이므로 윗몸 일으키기 횟수는
$72 \times 17 = 1224$(번)입니다.
→ $1235 > 1224$이므로 줄넘기를 $1235 - 1224 = 11$(번) 더 많이 했습니다.

14 일정한 빠르기로 아빠가 1걸음을 걸을 때 영미는 2걸음을 걷습니다. 아빠가 1분에 48걸음을 걷는다면 영미는 1시간 동안 몇 걸음을 걷는지 구해 보세요.

(**5760걸음**)

❖ 1시간=60분
(영미가 1분에 걷는 걸음 수)=$48 \times 2 = 96$(걸음)
→ (영미가 1시간 동안 걷는 걸음 수)=$96 \times 60 = 5760$(걸음)

15 주어진 수 카드 4장을 모두 한 번씩만 사용하여 (두 자리 수)×(두 자리 수)의 곱셈식을 만들려고 합니다. 이때 계산 결과가 가장 큰 경우와 가장 작은 경우의 두 계산 결과의 차를 구해 보세요.

4 2 6 9 → □□ × □□

(**4614**)

❖ 계산 결과가 가장 큰 경우: $92 \times 64 = 5888$ 또는 $64 \times 92 = 5888$
계산 결과가 가장 작은 경우: $26 \times 49 = 1274$ 또는 $49 \times 26 = 1274$
따라서 두 계산 결과의 차는 $5888 - 1274 = 4614$입니다.

22 · Jump 3-2

[GO! 매쓰]
여기까지 1단원 내용입니다.
다음부터는 2단원 내용이 시작합니다.

유형 **1** 나누어떨어지는 나눗셈 문제 해결

정답과 풀이 6쪽

1 1부터 9까지의 수 중에서 🔵 안의 수를 나누어떨어지게 하는 수를 모두 찾아 빈 곳에 써넣으세요.

보기

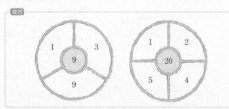

① 예

❖ 40을 나누어떨어지게 하는 수는 곱해서 40이 되는 수입니다.
→ $1 \times 40 = 40$, $2 \times 20 = 40$,
$4 \times 10 = 40$, $5 \times 8 = 40$
→ $40 \div 1 = 40$,
$40 \div 2 = 20$,
$40 \div 4 = 10$,
$40 \div 5 = 8$,
$40 \div 8 = 5$

② 예

❖ $1 \times 45 = 45$, $3 \times 15 = 45$, $5 \times 9 = 45$
→ $45 \div 1 = 45$, $45 \div 3 = 15$, $45 \div 5 = 9$,
$45 \div 9 = 5$

③ 예

(32) 8 1 4 2

❖ $1 \times 32 = 32$, $2 \times 16 = 32$, $4 \times 8 = 32$
→ $32 \div 1 = 32$, $32 \div 2 = 16$,
$32 \div 4 = 8$, $32 \div 8 = 4$

24 · Jump 3-2

④ 예

(60) 6 1 5 2 4 3

❖ $1 \times 60 = 60$, $2 \times 30 = 60$,
$3 \times 20 = 60$, $4 \times 15 = 60$,
$5 \times 12 = 60$, $6 \times 10 = 60$
→ $60 \div 1 = 60$, $60 \div 2 = 30$,
$60 \div 3 = 20$, $60 \div 4 = 15$,
$60 \div 5 = 12$, $60 \div 6 = 10$

2 다음 나눗셈이 나누어떨어지게 하려고 합니다. 0부터 9까지의 수 중에서 ▓에 알맞은 수를 모두 구해 보세요.

7▓ ÷ 6

(1) 몫을 ▲라고 하면 (나누는 수)×(몫)=(나누어지는 수)이므로
$6 \times$ ▲ = 7▓입니다.

(2) ▲=12일 때 $6 \times \boxed{12} = \boxed{72}$, ▲=13일 때 $6 \times \boxed{13} = \boxed{78}$,
▲=14일 때 $6 \times \boxed{14} = \boxed{84}$입니다.

(3) ▓에 알맞은 수는 $\boxed{2}$, $\boxed{8}$입니다.

3 다음 나눗셈이 나누어떨어지게 하려고 합니다. 0부터 9까지의 수 중에서 □ 안에 들어갈 수 있는 수는 모두 몇 개인지 구해 보세요.

4) 7□

(**2개**)

❖
```
      1 ★
  4 ) 7 □
      4
      3 □
      3 □
      ─────
        0
```
$4 \times$ ★ = 3□이어야 합니다.
$4 \times 8 = 32$, $4 \times 9 = 36$이므로
□ 안에 들어갈 수 있는 수는
2, 6으로 2개입니다.

2. 나눗셈 · 25

유형 ② 수 카드로 조건에 맞는 나눗셈식 만들기 _{추론}

1 수 카드 4장을 한 번씩만 사용하여 몫이 가장 큰 (세 자리 수)÷(한 자리 수)를 만들고 몫과 나머지를 구해 보세요.

8 3 2 6

① 수 카드의 수의 크기를 비교해 보세요.

8 > 6 > 3 > 2

② 알맞은 말에 ○표 하세요.

몫이 가장 크려면 나누어지는 수는 가장 (**큰** , 작은) 세 자리 수이어야 하고 나누는 수는 가장 (큰 , **작은**) 한 자리 수이어야 합니다.

❷의 조건에 맞는 세 자리 수는 863 이고 한 자리 수는 2 입니다.

몫이 가장 큰 (세 자리 수)÷(한 자리 수)를 만들고 몫과 나머지를 구해 보세요.

_{나눗셈식} 863 ÷ 2

몫 (**431**), 나머지 (**1**)

❖ 863÷2=431…1이므로 몫은 431, 나머지는 1입니다.

2 수 카드 3장을 한 번씩만 사용하여 몫이 가장 큰 (두 자리 수)÷(한 자리 수)를 만들고 몫과 나머지를 구해 보세요.

9 4 5

_{나눗셈식} 9 5 ÷ 4

몫 (**23**), 나머지 (**3**)

❖ 몫이 가장 크려면 가장 큰 두 자리 수를 가장 작은 한 자리 수로 나누어야 합니다. 만들 수 있는 가장 큰 두 자리 수는 95이므로 95÷4=23…3에서 몫은 23, 나머지는 3입니다.

3 수 카드 3장을 한 번씩만 사용하여 몫이 가장 작은 (두 자리 수)÷(한 자리 수)를 만들고 몫과 나머지를 구해 보세요.

7 2 6

_{나눗셈식} 2 6 ÷ 7

몫 (**3**), 나머지 (**5**)

❖ 몫이 가장 작으려면 가장 작은 두 자리 수를 가장 큰 한 자리 수로 나누어야 합니다. 만들 수 있는 가장 작은 두 자리 수는 26이므로 26÷7=3…5에서 몫이 3, 나머지는 5입니다.

4 수 카드 4장을 한 번씩만 사용하여 몫이 가장 작은 (세 자리 수)÷(한 자리 수)를 만들고 몫과 나머지를 구해 보세요.

9 4 6 1

_{나눗셈식} 1 4 6 ÷ 9

몫 (**16**), 나머지 (**2**)

❖ 몫이 가장 작으려면 가장 작은 세 자리 수를 가장 큰 한 자리 수로 나누어야 합니다. 만들 수 있는 가장 작은 세 자리 수는 146이므로 146÷9=16…2에서 몫은 16, 나머지는 2입니다.

2. 나눗셈 · 27

유형 ③ 모아서 똑같이 나누기 _{문제 해결}

1 윤주는 딸기 사탕 35개, 레몬 사탕 21개, 포도 사탕 42개를 가지고 있습니다. 이 사탕을 친구 6명과 함께 똑같이 나누어 먹으려고 합니다. 친구 한 명에게 사탕을 몇 개씩 나누어 줄 수 있는지 구해 보세요.

① 윤주는 사탕을 모두 몇 개 가지고 있을까요?

(**98개**)

❖ 35+21+42=98(개)

② 윤주는 친구 6명과 사탕을 몇 개씩 나누어 가질 수 있는지 식을 쓰고 답을 구해 보세요.

식 **98÷7=14**

답 **14개**

❖ 사탕을 나누어 먹을 사람은 윤주와 친구 6명이므로 모두 7명입니다.
➡ 98÷7=14(개)

③ 윤주는 친구 한 명에게 사탕을 몇 개씩 나누어 줄 수 있을까요?

(**14개**)

2 승기는 빨간색 구슬 30개, 파란색 구슬 25개, 초록색 구슬 20개를 가지고 있습니다. 이 구슬을 한 사람에게 5개씩 나누어 주려고 합니다. 몇 명에게 나누어 줄 수 있는지 구해 보세요.

(**15명**)

❖ (전체 구슬 수)=30+25+20=75(개)
(나누어 줄 수 있는 사람 수)
=(전체 구슬 수)÷(한 사람에게 줄 구슬 수)
=75÷5=15(명)

3 호동이네 학교 3학년은 27명씩 8개 반입니다. 3학년 학생들을 4모둠으로 똑같이 나누어 봉사 활동을 간다면 한 모둠은 몇 명씩으로 해야 하는지 구해 보세요.

(**54명**)

❖ 3학년 학생은 27×8=216(명)입니다.
따라서 4개 모둠으로 똑같이 나누면 한 모둠은 216÷4=54(명)입니다.

정답과 풀이 8쪽

유형 ④ 가로등(나무) 수 구하기 문제 해결

1 그림과 같이 길이가 45 m인 도로 한쪽에 5 m 간격으로 가로등을 세우려고 합니다. 가로등은 모두 몇 개 필요한지 구해 보세요. (단, 가로등의 두께는 생각하지 않습니다.)

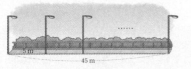

❶ 가로등과 가로등 사이의 거리는 몇 m일까요?
(**5 m**)

❷ 가로등과 가로등 사이의 간격 수는 몇 군데일까요?
(**9군데**)

✤ (가로등과 가로등 사이의 간격 수)
  =(전체 거리)÷(가로등과 가로등 사이의 거리)
  =45÷5=9(군데)

❸ 가로등은 모두 몇 개 필요한지 구해 보세요.
(**10개**)

✤ 도로의 처음과 끝에도 가로등을 세워야 하므로 필요한 가로등 수는 (간격 수)+1입니다.
30·Jump 3 따라서 가로등은 모두 9+1=10(개) 필요합니다.

2 둘레가 847 m인 원 모양의 호수 둘레에 7 m 간격으로 나무를 심으려고 합니다. 필요한 나무는 모두 몇 그루인지 구해 보세요. (단, 나무의 두께는 생각하지 않습니다.)

(**121그루**)

✤ 원 모양의 호수이므로 나무 사이의 간격 수와 필요한 나무 수는 같습니다.
  따라서 필요한 나무 수는 847÷7=121(그루)입니다.

3 농장에 가로 36 m, 세로 42 m인 직사각형 모양을 그리고 그 둘레에 3 m 간격으로 말뚝을 세우려고 합니다. 직사각형의 네 꼭짓점에는 반드시 말뚝을 세운다고 할 때, 필요한 말뚝은 모두 몇 개인지 구해 보세요. (단, 말뚝의 두께는 생각하지 않습니다.)

(**52**)

✤ 가로에 세울 수 있는 말뚝 수: 36÷3=12(개) ➡ 12+1
  세로에 세울 수 있는 말뚝 수: 42÷3=14(개) ➡ 14+1
  ➡ 13+15+13+15−4=52(개)
       └─겹치는 말뚝 수

유형 ⑤ 나눗셈의 활용-모두 담아야 하는 경우 문제 해결

정답과 풀이 8쪽

1 동화책 33권과 위인전 38권이 있습니다. 이 책을 종류에 상관없이 한 상자에 4권씩 모두 담으려고 합니다. 상자는 적어도 몇 개 필요한지 구해 보세요.

❶ 동화책과 위인전은 모두 몇 권인지 구해 보세요.
(**71권**)
✤ 33+38=71(권)

❷ 책을 한 상자에 4권씩 담으면 몇 상자가 되고 몇 권이 남는지 구해 보세요.
상자 수(**17상자**)
남는 책 수(**3권**)
✤ 71÷4=17…3
    상자 수┘ └남는 책 수

❸ 책을 모두 담는 데 필요한 상자는 적어도 몇 개인지 구해 보세요.
(**18개**)
✤ 남는 3권도 담아야 하므로 필요한 상자는 17+1=18(개)입니다.
32·Jump 3-2

2 야구공 45개와 테니스공 48개를 상자에 나누어 담으려고 합니다. 공의 종류에 관계없이 한 상자에 8개씩 담을 수 있다면 공을 남김없이 모두 담기 위해 상자는 적어도 몇 개 필요한지 구해 보세요.

(**12개**)

✤ (전체 공의 수)=45+48=93(개)
  ➡ 93÷8=11…5
    8개씩 11상자에 담고 남는 5개도 담아야 하므로 상자는 적어도 11+1=12(개) 필요합니다.

3 진주네 학교 3학년 학생이 현장 체험 학습을 가기 위해 소형 버스를 타려고 합니다. 소형 버스 한 대에 9명까지 탈 수 있다면 소형 버스는 적어도 몇 대 필요한지 구해 보세요.

3학년 학생 수

반	1반	2반	3반	4반	5반	6반
학생 수(명)	27	21	26	24	25	23

(**17대**)

✤ (3학년 전체 학생 수)
  =27+21+26+24+25+23=146(명)
  ➡ 146÷9=16…2
    9명씩 16대에 타고 남는 2명도 타야 하므로 소형 버스는 적어도 16+1=17(대) 필요합니다.

2. 나눗셈·33

유형 ⑥ 삼각형의 변의 길이 구하기 창의·융합

정답과 풀이 9쪽

1 세 변의 길이가 같은 삼각형을 그림과 같이 모양과 크기가 같은 9개의 삼각형으로 나누었습니다. 가장 큰 삼각형의 세 변의 길이의 합이 72 cm일 때 가장 작은 삼각형 한 개의 세 변의 길이의 합은 몇 cm인지 구해 보세요.

❶ 가장 큰 삼각형의 한 변의 길이는 몇 cm일까요?

(**24 cm**)

❖ $72 \div 3 = 24$ (cm)

❷ 가장 작은 삼각형의 한 변의 길이는 몇 cm일까요?

(**8 cm**)

❖ $24 \div 3 = 8$ (cm)

❸ 가장 작은 삼각형 한 개의 세 변의 길이의 합은 몇 cm일까요?

(**24 cm**)

❖ $8 + 8 + 8 = 24$ (cm)

2 세 변의 길이가 같은 삼각형을 그림과 같이 모양과 크기가 같은 4개의 삼각형으로 나누었습니다. 큰 삼각형의 세 변의 길이의 합이 66 cm일 때, 작은 삼각형 한 개의 세 변의 길이의 합은 몇 cm인지 구해 보세요.

(**33 cm**)

❖ (큰 삼각형의 한 변의 길이)=$66 \div 3 = 22$ (cm)
(작은 삼각형의 한 변의 길이)=$22 \div 2 = 11$ (cm)
(작은 삼각형의 세 변의 길이의 합)=$11 + 11 + 11$
$= 33$ (cm)

3 세 변의 길이가 같은 삼각형 3개를 그림과 같이 이어 붙여 사각형을 만들었습니다. 만든 사각형의 네 변의 길이의 합이 75 cm일 때, 삼각형 한 개의 세 변의 길이의 합은 몇 cm인지 구해 보세요.

(**45 cm**)

❖ (삼각형의 한 변의 길이)=$75 \div 5 = 15$ (cm)
(삼각형의 세 변의 길이의 합)=$15 + 15 + 15 = 45$ (cm)

사고력 종합 평가

정답과 풀이 9쪽

1 1부터 9까지의 수 중에서 ◯ 안의 수를 나누어떨어지게 하는 수를 모두 찾아 빈 곳에 써넣으세요.

(1) 예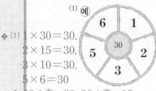

(2) 예

(2) $1 \times 84 = 84$,
$2 \times 42 = 84$,
$3 \times 28 = 84$,
$4 \times 21 = 84$,
$6 \times 14 = 84$,
$7 \times 12 = 84$

❖ (1) $1 \times 30 = 30$,
$2 \times 15 = 30$,
$3 \times 10 = 30$,
$5 \times 6 = 30$
➔ $30 \div 1 = 30$, $30 \div 2 = 15$,
$30 \div 3 = 10$, $30 \div 5 = 6$,
$30 \div 6 = 5$

➔ $84 \div 1 = 84$, $84 \div 2 = 42$, $84 \div 3 = 28$,
$84 \div 4 = 21$, $84 \div 6 = 14$, $84 \div 7 = 12$

2 다음 나눗셈이 나누어떨어지게 하려고 합니다. 0부터 9까지의 수 중에서 □ 안에 들어갈 수 있는 수를 모두 구해 보세요.

$$5\square \div 3$$

❖
```
     1 ★
 3 ) 5 □
     3
     2 □
```
2□÷3이 나누어떨어져야 (**1, 4, 7**)
합니다.
$3 \times 7 = 21$, $3 \times 8 = 24$, $3 \times 9 = 27$이므로
□ 안에 들어갈 수 있는 수는 1, 4, 7입니다.

3 다음 나눗셈에서 ◯에 알맞은 수 중 가장 작은 수를 구해 보세요.

$$\square \div \bigcirc = ★ \cdots 7$$

(**8**)

❖ 나눗셈에서 ●는 나누는 수입니다. 나누는 수는 나머지 7보다 커야 하므로 ●가 될 수 있는 가장 작은 수는 8입니다.

4 수 카드 3장을 한 번씩만 사용하여 몫이 가장 큰 (두 자리 수)÷(한 자리 수)를 만들고 몫과 나머지를 구해 보세요.

| 6 | 2 | 5 |

나눗셈 $6\ 5 \div 2$

몫 (**32**), 나머지 (**1**)

❖ 몫이 가장 크려면 가장 큰 두 자리 수를 가장 작은 한 자리 수로 나누어야 합니다. 따라서 만들 수 있는 가장 큰 두 자리 수는 65이므로 $65 \div 2 = 32 \cdots 1$에서 몫은 32, 나머지는 1입니다.

5 수 카드 4장을 한 번씩만 사용하여 몫이 가장 작은 (세 자리 수)÷(한 자리 수)를 만들고 몫과 나머지를 구해 보세요.

| 3 | 1 | 9 | 4 |

나눗셈 $1\ 3\ 4 \div 9$

몫 (**14**), 나머지 (**8**)

❖ 몫이 가장 작으려면 가장 작은 세 자리 수를 가장 큰 한 자리 수로 나누어야 합니다. 따라서 만들 수 있는 가장 작은 세 자리 수는 134이므로 $134 \div 9 = 14 \cdots 8$에서 몫은 14, 나머지는 8입니다.

6 ♥와 ♣에 알맞은 수를 각각 구해 보세요.

$$♥ \div 8 = 24 \cdots 6$$
$$♥ \div 6 = ♣$$

♥ (**198**)
♣ (**33**)

❖ ♥: $8 \times 24 = 192$, $192 + 6 = 198$
♣: $198 \div 6 = 33$

정답과 풀이 10쪽

사고력 종합 평가

7 재원이가 가지고 있는 사탕입니다. 하루에 사탕을 4개씩 먹는다면 며칠 동안 먹을 수 있는지 구해 보세요.

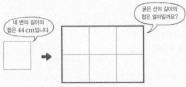

막대 사탕	레몬 사탕	딸기 사탕

(**9일**)

❖ (전체 사탕 수)=8+12+16=36(개)
➡ (사탕을 먹을 수 있는 날 수)=36÷4=9(일)

8 네 변의 길이가 같은 사각형 6개를 다음과 같이 이어 붙여 직사각형을 만들었습니다. 새로 만든 직사각형의 굵은 선의 길이의 합은 몇 cm인지 구해 보세요.

네 변의 길이의 합은 44 cm입니다.

굵은 선의 길이의 합은 얼마일까요?

(**110 cm**)

❖ (가장 작은 사각형 한 변의 길이)=44÷4=11(cm)
➡ (굵은 선의 길이의 합)=11×10=110(cm)

9 주스 가게에서는 주스 한 잔에 얼음을 3개씩 넣어 판매합니다. 얼음 조각이 171개라면 주스를 몇 잔 팔 수 있는지 구해 보세요.

(**57잔**)

❖ (팔 수 있는 주스 수)=171÷3=57(잔)

10 어떤 수를 3으로 나누어야 할 것을 잘못하여 9로 나누었더니 몫이 19가 되었습니다. 바르게 계산한 답을 구해 보세요.

(**57**)

❖ 어떤 수를 □라 하면 □÷9=19에서 □=9×19=171입니다.
따라서 바르게 계산하면 171÷3=57입니다.

2 단원

11 흰색 바둑돌 81개와 검은색 바둑돌 54개를 바구니에 나누어 담으려고 합니다. 바둑돌의 색과 관계없이 한 바구니에 6개씩 담을 수 있다면 바둑돌을 남김없이 모두 담기 위해 바구니는 적어도 몇 개 필요한지 구해 보세요.

(**23개**)

❖ (전체 바둑돌의 수)=81+54=135(개)
➡ 135÷6=22…3
6개씩 22개의 바구니에 담고 남은 3개도 담아야 하므로
바구니는 적어도 22+1=23(개) 필요합니다.

12 그림과 같이 길이가 63 m인 도로의 양쪽에 9 m 간격으로 나무를 심으려고 합니다. 나무를 모두 몇 그루 심어야 하는지 구해 보세요. (단, 나무의 두께는 생각하지 않습니다.)

9 m   63 m

(**16그루**)

❖ (나무와 나무 사이의 간격 수)
=(전체 거리)÷(나무와 나무 사이의 거리)=63÷9=7(군데)
도로의 처음과 끝에도 나무를 심어야 하므로 도로의 한쪽에 심어야 할
나무는 7+1=8(그루)이고, 양쪽에 심어야 할
나무는 8×2=16(그루)입니다.

사고력 종합 평가

정답과 풀이 10쪽

13 둘레가 786 m인 원 모양의 공원 둘레에 6 m 간격으로 나무를 심으려고 합니다. 필요한 나무는 모두 몇 그루인지 구해 보세요. (단, 나무의 두께는 생각하지 않습니다.)

(**131그루**)

❖ 원 모양의 공원이므로 필요한 나무 수는 나무 사이의 간격 수와 같습니다.
따라서 필요한 나무는 786÷6=131(그루)입니다.

14 연필이 10자루씩 9묶음과 낱개 6자루가 있습니다. 이 연필을 4명이 똑같이 나누어 가진다면 한 명이 몇 자루씩 가질 수 있는지 구해 보세요.

(**24자루**)

❖ 연필 10자루씩 9묶음과 낱개 6자루는 96자루입니다.
➡ 96÷4=24(자루)

15 나눗셈식에서 ㉢이 될 수 있는 수들의 합은 얼마인지 구해 보세요.

$$㉠÷6=㉡…㉢$$

(**15**)

❖ 나머지는 나누는 수인 6보다 작아야 하므로 ㉢이 될 수 있는 수는
0, 1, 2, 3, 4, 5입니다. 따라서 ㉢이 될 수 있는 수들의 합은
0+1+2+3+4+5=15입니다.

[GO! 매쓰]
여기까지 2단원 내용입니다.
다음부터는 3단원 내용이
시작합니다.

유형 1 반지름의 몇 배인지 알아보기 [문제 해결]

1 크기가 같은 원 3개를 다음과 같이 맞닿게 그렸습니다. 선분 ㄱㄴ의 길이는 몇 cm 인지 구해 보세요.

❶ 원의 반지름은 몇 cm일까요?

(**10 cm**)

❖ 원의 반지름은 10 cm입니다.

❷ 선분 ㄱㄴ의 길이는 원의 반지름의 몇 배일까요?

(**4배**)

❸ 선분 ㄱㄴ의 길이는 몇 cm일까요?

(**40 cm**)

❖ (선분 ㄱㄴ의 길이)＝(원의 반지름)×4
  ＝10×4＝40 (cm)

2 반지름이 9 cm인 원 4개를 다음과 같이 맞닿게 그렸습니다. 선분 ㄱㄴ의 길이는 몇 cm 인지 구해 보세요.

(**72 cm**)

❖ 선분 ㄱㄴ의 길이는 원의 반지름의 8배와 같으므로
  9×8＝72 (cm)입니다.

3 크기가 같은 원 5개를 다음과 같이 중심을 지나도록 그렸습니다. 선분 ㄱㄴ의 길이는 몇 cm인지 구해 보세요.

(**66 cm**)

❖ 선분 ㄱㄴ의 길이는 원의 반지름의 6배와 같으므로
  11×6＝66 (cm)입니다.

유형 2 컴퍼스의 침을 꽂는 곳 찾기 [문제 해결]

1 다음과 같은 모양을 그릴 때 컴퍼스의 침을 꽂아야 하는 곳은 모두 몇 군데인지 구해 보세요.

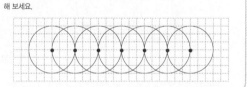

❶ 알맞은 말에 ○표 하세요.

원을 그릴 때 컴퍼스의 침을 꽂아야 하는 곳은
원의 (⟪중심⟫, 지름)입니다.

❷ 위의 모양에서 컴퍼스의 침을 꽂아야 할 곳에 모두 • 표시를 하세요.

❖ 원의 중심을 모두 찾아봅니다.

❸ 컴퍼스의 침을 꽂아야 하는 곳은 모두 몇 군데일까요?

(**7군데**)

2 다음과 같은 모양을 그릴 때 컴퍼스의 침을 꽂아야 하는 곳의 개수가 나머지와 다른 하나를 찾아 기호를 써 보세요.

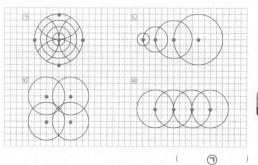

(**㉠**)

❖ ㉠ 5군데 ㉡ 4군데 ㉢ 4군데 ㉣ 4군데

3 주어진 모양과 똑같이 그려 보세요.

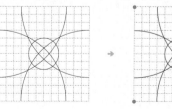

GO! 매쓰 Jump 정답

유형 ③ 도형의 변의 길이의 합 구하기 〔문제 해결〕

1 점 ㄴ, 점 ㄹ은 각 원의 중심입니다. 사각형 ㄱㄴㄷㄹ의 네 변의 길이의 합은 몇 cm인지 구해 보세요.

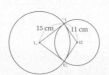

❶ 알맞은 말에 ○표 하세요.

> 한 원에서 반지름의 길이는 모두 (⦿갑습니다 . 다릅니다).

❷ 사각형 ㄱㄴㄷㄹ의 네 변의 길이를 각각 써 보세요.

변 ㄱㄴ의 길이 (**15 cm**)
변 ㄴㄷ의 길이 (**15 cm**)
변 ㄱㄹ의 길이 (**11 cm**)
변 ㄹㄷ의 길이 (**11 cm**)

❖ (변 ㄱㄴ의 길이)=(변 ㄴㄷ의 길이)=(왼쪽 원의 반지름)=15 cm
(변 ㄱㄹ의 길이)=(변 ㄹㄷ의 길이)=(오른쪽 원의 반지름)=11 cm

❸ 사각형 ㄱㄴㄷㄹ의 네 변의 길이의 합은 몇 cm일까요?

❖ (네 변의 길이의 합) (**52 cm**)
=(변 ㄱㄴ의 길이)+(변 ㄴㄷ의 길이)+(변 ㄱㄹ의 길이)
+(변 ㄹㄷ의 길이)
=15+15+11+11=52(cm)

46 · Jump 3-2

정답과 풀이 12쪽

2 반지름이 5 cm인 원 3개를 다음과 같이 서로 원의 중심을 지나도록 겹친 후 원의 중심을 이어 삼각형을 그렸습니다. 삼각형 ㄱㄴㄷ의 세 변의 길이의 합은 몇 cm인지 구해 보세요.

(**15 cm**)

❖ 삼각형 ㄱㄴㄷ의 한 변의 길이는 원의 반지름과 같으므로 5 cm 입니다.
→ (삼각형 ㄱㄴㄷ의 세 변의 길이의 합)=(원의 반지름)×3
=5×3=15(cm)

3 세 원을 그림과 같이 맞닿게 그린 후 원의 중심을 이었습니다. 삼각형 ㄱㄴㄷ의 세 변의 길이의 합은 몇 cm인지 구해 보세요.

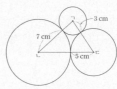

(**30 cm**)

❖ (변 ㄱㄴ의 길이)=3+7=10(cm)
(변 ㄴㄷ의 길이)=7+5=12(cm)
(변 ㄱㄷ의 길이)=3+5=8(cm)
→ (삼각형 ㄱㄴㄷ의 세 변의 길이의 합)
=(변 ㄱㄴ의 길이)+(변 ㄴㄷ의 길이)+(변 ㄱㄷ의 길이)
=10+12+8=30(cm)

3. 원 · 47

유형 ④ 상자의 변의 길이의 합 구하기 〔창의·융합〕

1 직사각형 모양 상자에 반지름이 5 cm인 원 모양의 도넛 4개가 들어 있습니다. 상자의 네 변의 길이의 합은 몇 cm인지 구해 보세요.

❶ 상자의 가로는 몇 cm일까요?

(**40 cm**)

❖ (도넛의 지름)=5×2=10(cm)
→ (상자의 가로)=(도넛의 지름)×4=10×4=40(cm)

❷ 상자의 세로는 몇 cm일까요?

(**10 cm**)

❖ (상자의 세로)=(도넛의 지름)=10 cm

❸ 상자의 네 변의 길이의 합은 몇 cm일까요?

(**100 cm**)

❖ (상자의 네 변의 길이의 합)
=(가로)+(세로)+(가로)+(세로)
=40+10+40+10=100(cm)

48 · Jump 3-2

정답과 풀이 12쪽

2 직사각형 모양 상자에 반지름이 7 cm인 원 모양의 접시 3개가 들어 있습니다. 상자의 네 변의 길이의 합은 몇 cm인지 구해 보세요.

(**112 cm**)

❖ (접시의 지름)=7×2=14(cm)
(상자의 가로)=(접시의 지름)×3=14×3=42(cm)
(상자의 세로)=(접시의 지름)=14 cm
→ (상자의 네 변의 길이의 합)=(가로)+(세로)+(가로)+(세로)
=42+14+42+14=112(cm)

3 네 변의 길이의 합이 72 cm인 직사각형 모양 상자에 크기가 같은 원 모양의 나침반 5개가 들어 있습니다. 나침반의 반지름은 몇 cm인지 구해 보세요.

(**3 cm**)

❖ 상자의 네 변의 길이의 합은 나침반의 지름의 12배이므로 나침반의 지름을 ☐ cm라 하면 ☐×12=72입니다. → ☐=6
따라서 나침반의 반지름은 6÷2=3(cm)입니다.

3. 원 · 49

유형 ⑤ 선분의 길이 구하기 〔문제 해결〕

1 점 ㄱ, 점 ㄴ, 점 ㄷ, 점 ㄹ은 각 원의 중심입니다. 가장 큰 원 가의 지름이 32 cm 일 때 선분 ㄱㄹ의 길이는 몇 cm인지 구해 보세요. (단, 원 다와 원 라의 크기는 같습니다.)

❶ 원 가의 반지름은 몇 cm일까요?

(**16 cm**)

✿ 32÷2=16(cm)

❷ 원 나의 반지름은 몇 cm일까요?

(**8 cm**)

✿ (원 나의 반지름)=(원 가의 반지름)÷2
　　　　　　　　　=16÷2=8(cm)

❸ 원 다의 반지름은 몇 cm일까요?

(**4 cm**)

✿ (원 다의 반지름)=(원 가의 반지름)÷4
　　　　　　　　　=16÷4=4(cm)

❹ 선분 ㄱㄹ의 길이는 몇 cm일까요?

(**20 cm**)

✿ (선분 ㄴㄹ의 길이)=(원 다의 반지름)×3
　　　　　　　　　=4×3=12(cm)
→ (선분 ㄱㄹ의 길이)=(선분 ㄱㄴ의 길이)+(선분 ㄴㄹ의 길이)
　　　　　　　　　=8+12=20(cm)

2 점 ㄱ, 점 ㄴ, 점 ㄷ, 점 ㄹ은 각 원의 중심입니다. 가장 큰 원 가의 지름이 40 cm일 때 선분 ㄱㄹ의 길이는 몇 cm인지 구해 보세요. (단, 원 나와 원 다의 크기는 같습니다.)

(**25 cm**)

✿ (원 가의 반지름)=40÷2=20(cm)
　(원 나의 반지름)=(원 가의 반지름)÷4=20÷4=5(cm)
　(원 라의 반지름)=(원 가의 반지름)÷2=20÷2=10(cm)
　(선분 ㄱㄷ의 길이)=(원 나의 반지름)×3=5×3=15(cm)
→ (선분 ㄱㄹ의 길이)=(선분 ㄱㄷ의 길이)+(선분 ㄷㄹ의 길이)
　　　　　　　　　=15+10=25(cm)

3 점 ㄱ, 점 ㄴ, 점 ㄷ은 각 원의 중심입니다. 선분 ㄱㄷ의 길이는 몇 cm인지 구해 보세요.

(**15 cm**)

✿ (원 나의 반지름)=(원 가의 반지름)÷2=20÷2=10(cm)
　(원 다의 반지름)=(원 나의 반지름)÷2=10÷2=5(cm)
→ (선분 ㄱㄷ의 길이)=(선분 ㄱㄴ의 길이)+(선분 ㄴㄷ의 길이)
　　　　　　　　　=10+5=15(cm)

3 단원

유형 ⑥ 모양을 둘러싼 선분의 길이의 합 구하기 〔창의 · 융합〕

1 반지름이 4 cm인 원 모양의 색종이 8장을 다음과 같이 맞닿게 한 후 선분으로 둘러쌌습니다. 둘러싼 선분의 길이의 합은 몇 cm인지 구해 보세요.

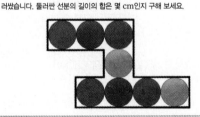

❶ 원 모양 색종이의 지름은 몇 cm일까요?

(**8 cm**)

✿ (지름)=(반지름)×2
　　　　=4×2=8(cm)

❷ 둘러싼 선분의 길이의 합은 지름의 몇 배일까요?

(**18배**)

✿ 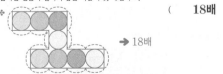 → 18배

❸ 둘러싼 선분의 길이의 합은 몇 cm일까요?

(**144 cm**)

✿ 8×18=144(cm)

2 반지름이 3 cm인 원 모양의 색종이 5장을 다음과 같이 맞닿게 한 후 선분으로 둘러쌌습니다. 둘러싼 선분의 길이의 합은 몇 cm인지 구해 보세요.

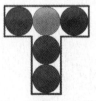

✿ (원 모양 색종이의 지름)=3×2=6(cm)　　(**72 cm**)

→ 둘러싼 선분의 길이의 합은 지름의 12배이므로
　6×12=72(cm)입니다.

3 원 모양의 색종이 11장을 다음과 같이 맞닿게 한 후 선분으로 둘러쌌습니다. 둘러싼 선분의 길이의 합이 240 cm일 때 원 모양 색종이의 지름은 몇 cm인지 구해 보세요.

(**10 cm**)

✿ → 둘러싼 선분의 길이의 합은 지름의 24배입니다.
　원 모양 색종이의 지름을 □cm라 하면
　□×24=240이므로 □=10입니다.

3 단원

사고력 종합 평가

정답과 풀이 14쪽

1 점 ㅇ이 원의 중심일 때 지름을 나타내는 선분은 모두 몇 개인지 구해 보세요.

(2개   )

✦ 원의 지름은 선분 ㄱㅂ, 선분 ㄷㅅ으로 모두 2개입니다.

2 점 ㅇ을 중심으로 하는 원 위에 다음과 같이 마트, 학교, 도서관, 병원, 경찰서가 있습니다. 두 장소 사이의 거리가 가장 먼 곳은 어디와 어디인지 써 보세요. (단, 두 장소 사이의 거리는 두 장소를 이은 선분의 길이와 같습니다.)

(도서관   ,   경찰서   )

✦ 원 안에 그을 수 있는 가장 긴 선분은 원의 지름입니다.
원의 지름을 나타내는 선분은 도서관과 경찰서를 이은 선분이므로 거리가
가장 먼 곳은 도서관과 경찰서입니다.

54 · Jump 3-2

3 선분 ㄱㄴ의 길이는 몇 cm인지 구해 보세요.

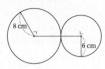

(14 cm   )

✦ (선분 ㄱㄴ의 길이)=(큰 원의 반지름)+(작은 원의 반지름)
=8+6=14 (cm)

4 다음과 같은 모양을 그릴 때 컴퍼스의 침을 꽂아야 하는 곳은 모두 몇 군데인지 구해 보세요.

(5군데   )

5 주어진 모양과 똑같이 그려 보세요.

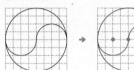

3. 원 · 55

사고력 종합 평가

정답과 풀이 14쪽

6 점 ㅇ이 원의 중심이고 반지름이 8 cm인 원입니다. 삼각형 ㅇㄱㄴ의 세 변의 길이의 합은 몇 cm인지 구해 보세요.

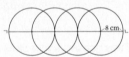

✦ (변 ㅇㄱ의 길이)=(원의 반지름)
=8 cm
(변 ㅇㄴ의 길이)=(원의 반지름)
=8 cm
➡ (삼각형 ㅇㄱㄴ의 세 변의 길이의 합)   (26 cm   )
=(변 ㅇㄱ의 길이)+(변 ㄱㄴ의 길이)+(변 ㅇㄴ의 길이)
=8+10+8=26 (cm)

7 크기가 같은 원 4개를 다음과 같이 중심을 지나도록 그렸습니다. 선분 ㄱㄴ의 길이는 몇 cm인지 구해 보세요.

(40 cm   )

✦ 선분 ㄱㄴ의 길이는 원의 반지름의 5배와 같으므로
8×5=40 (cm)입니다.

8 그림과 같이 먼저 반지름이 4 cm인 원을 그린 후 반지름을 1 cm씩 늘려 가며 원을 3개 더 그렸습니다. 가장 큰 원의 지름은 몇 cm인지 구해 보세요.

✦ (가장 큰 원의 반지름)
=4+1+1+1=7 (cm)
➡ (가장 큰 원의 지름)
=(반지름)×2
=7×2=14 (cm)   (14 cm   )

56 · Jump 3-2

9 다음과 같이 정사각형 안에 원을 꼭 맞게 그렸습니다. 정사각형의 네 변의 길이의 합은 몇 cm인지 구해 보세요.

(48 cm   )

✦ (정사각형의 한 변의 길이)=(원의 지름)=6×2=12 (cm)
➡ (정사각형의 네 변의 길이의 합)=(한 변의 길이)×4
=12×4=48 (cm)

10 점 ㄱ, 점 ㄴ, 점 ㄷ은 각 원의 중심입니다. 가장 큰 원 가의 지름이 24 cm일 때 선분 ㄱㄷ의 길이는 몇 cm인지 구해 보세요.

✦ (원 가의 반지름)
=24÷2=12 (cm)
(원 나의 반지름)
=(원 다의 반지름)
=(원 가의 반지름)÷2
=12÷2=6 (cm)   (12 cm   )
➡ (선분 ㄱㄷ의 길이)=(선분 ㄱㄴ의 길이)+(선분 ㄴㄷ의 길이)
=6+6=12 (cm)

11 가장 큰 원을 찾아 기호를 써 보세요.

㉠ 지름이 8 cm인 원
㉡ 반지름이 6 cm인 원
㉢ 반지름이 5 cm인 원
㉣ 지름이 11 cm인 원

(㉡   )

✦ 원의 지름을 비교해 봅니다.
㉠ 지름: 8 cm ㉡ 지름: 6×2=12 (cm)
㉢ 지름: 5×2=10 (cm) ㉣ 지름: 11 cm
➡ 12>11>10>8이므로 가장 큰 원은 ㉡입니다.

3. 원 · 57

12 직사각형 모양 상자에 반지름이 6 cm인 원 모양의 마카롱 5개가 들어 있습니다. 상자의 네 변의 길이의 합은 몇 cm인지 구해 보세요.

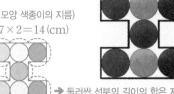

❖ (마카롱의 지름)＝$6 \times 2 = 12$ (cm) 　　　　　（ **144 cm** ）
　 (상자의 가로)＝(마카롱의 지름)$\times 5 = 12 \times 5 = 60$ (cm)
　 (상자의 세로)＝(마카롱의 지름)＝12 cm
➡ (상자의 네 변의 길이의 합)＝$60 + 12 + 60 + 12 = 144$ (cm)

13 점 ㄱ, 점 ㄴ, 점 ㄷ, 점 ㄹ은 각 원의 중심입니다. 네 원을 오른쪽과 같이 맞닿게 그린 후 네 원의 중심을 이었습니다. 사각형 ㄱㄴㄷㄹ의 네 변의 길이의 합은 몇 cm인지 구해 보세요.

❖ (변 ㄱㄴ의 길이)
　＝$2 + 4 = 6$ (cm),
　(변 ㄴㄷ의 길이)＝$4 + 6 = 10$ (cm), 　　　（ **30 cm** ）
　(변 ㄷㄹ의 길이)＝$6 + 3 = 9$ (cm),
　(변 ㄱㄹ의 길이)＝$2 + 3 = 5$ (cm)
➡ (사각형 ㄱㄴㄷㄹ의 네 변의 길이의 합)＝(변 ㄱㄴ의 길이)＋(변 ㄴㄷ의 길이)＋(변 ㄷㄹ의 길이)＋(변 ㄱㄹ의 길이)
　　　　　　　　　　　　　＝$6 + 10 + 9 + 5 = 30$ (cm)

14 반지름이 7 cm인 원 모양의 색종이 7장을 다음과 같이 맞닿게 한 후 선분으로 둘러쌌습니다. 둘러싼 선분의 길이의 합은 몇 cm인지 구해 보세요.

[그림]

❖ (원 모양 색종이의 지름)
　＝$7 \times 2 = 14$ (cm)

[그림] ➡ 둘러싼 선분의 길이의 합은 지름의 （ **224 cm** ）
　　　16배이므로 $14 \times 16 = 224$ (cm)입니다.

> [GO! 매쓰]
> 여기까지 3단원 내용입니다.
> 다음부터는 4단원 내용이
> 시작합니다.

유형 **①** 분수만큼은 얼마인지 알아보기 　[문제 해결]

1 조건 을 보고 노란색 나뭇잎은 몇 장인지 구해 보세요.

[나뭇잎 그림]

조건
• 빨간색 나뭇잎은 32장의 $\frac{3}{8}$입니다.
• 초록색 나뭇잎은 32장의 $\frac{2}{4}$입니다.
• 나머지는 모두 노란색 나뭇잎입니다.

❶ 빨간색 나뭇잎은 몇 장인지 구해 보세요.
　　　　　　　　　　　　　（ **12장** ）
❖ 32의 $\frac{3}{8}$은 12이므로 빨간색 나뭇잎은 12장입니다.

❷ 초록색 나뭇잎은 몇 장인지 구해 보세요.
　　　　　　　　　　　　　（ **16장** ）
❖ 32의 $\frac{2}{4}$는 16이므로 초록색 나뭇잎은 16장입니다.

❸ 노란색 나뭇잎은 몇 장인지 구해 보세요.
　　　　　　　　　　　　　（ **4장** ）
❖ $32 - 12 - 16 = 4$(장)

2 그림을 보고 □ 안에 알맞은 수를 써넣으세요.

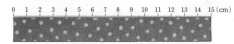

(1) 15 cm의 $\frac{4}{5}$는 $\boxed{12}$ cm입니다.

(2) 15 cm의 $\frac{2}{3}$는 $\boxed{10}$ cm입니다.

❖ (1) 15 cm의 $\frac{4}{5}$는 15 cm를 5부분으로 똑같이 나눈 것 중의 4이므로 12 cm입니다.

　 (2) 15 cm의 $\frac{2}{3}$는 15 cm를 3부분으로 똑같이 나눈 것 중의 2이므로 10 cm입니다.

4
단원

3 민호는 색 테이프 1 m 중 $\frac{2}{5}$를 쓰고 연아는 남은 색 테이프 중 $\frac{1}{6}$을 썼습니다. 민호와 연아가 쓰고 남은 색 테이프는 몇 cm인지 구해 보세요.

　　　　　　　　　　　　　（ **50 cm** ）

❖ 민호: 1 m＝100 cm이므로 100 cm의 $\frac{2}{5}$는 40 cm입니다.
　 연아: 민호가 쓰고 남은 색 테이프는 $100 - 40 = 60$ (cm)이므로
　 60 cm의 $\frac{1}{6}$은 10 cm입니다.
　➡ (두 사람이 쓰고 남은 색 테이프의 길이)
　　　＝$100 - 40 - 10 = 50$ (cm)

GO! 매쓰 Jump 정답

유형 ② 전체(또는 부분)의 양 구하기 [추론]

정답과 풀이 16쪽

1 다음과 같은 모양의 벽이 있습니다. 그림과 같이 칠하는 데 쓴 페인트의 양은 12통입니다. 벽 전체를 칠하는 데 필요한 페인트의 양은 몇 통인지 구해 보세요.

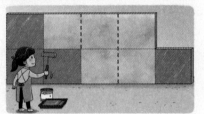

❶ 색칠한 부분이 전체의 4칸이 되도록 벽을 똑같이 나누어 보세요.

❷ 색칠한 부분은 전체의 몇 분의 몇일까요?

($\dfrac{4}{9}$)

✣ 전체를 9부분으로 똑같이 나눈 것 중의 4이므로 $\dfrac{4}{9}$입니다.

❸ 벽 전체를 칠하는 데 필요한 페인트의 양은 몇 통인지 구해 보세요.

(**27통**)

✣ $\dfrac{4}{9}$는 $\dfrac{1}{9}$이 4개인 수이므로 $\dfrac{1}{9}$을 칠하는 데 필요한 페인트의 양은 $12 \div 4 = 3$(통)입니다. 따라서 벽 전체를 칠하는 데 필요한 페인트 양은 $3 \times 9 = 27$(통)입니다.

62 · Jump 3-2

2 다음 피자의 먹고 남은 부분의 넓이는 36입니다. 피자 전체의 넓이는 얼마인지 구해 보세요.

(**54**)

✣ 피자의 먹고 남은 부분은 전체의 $\dfrac{4}{6}$입니다.

$\dfrac{4}{6}$는 $\dfrac{1}{6}$이 4개인 수이므로 $\dfrac{1}{6}$의 넓이는 $36 \div 4 = 9$입니다. 따라서 피자 전체의 넓이는 $9 \times 6 = 54$입니다.

3 다음 화단의 전체 넓이는 48입니다. 장미꽃을 심은 부분의 넓이는 얼마인지 구해 보세요.

(**36**)

✣ 장미꽃을 심은 부분은 전체의 $\dfrac{3}{4}$입니다. 48의 $\dfrac{1}{4}$은

$48 \div 4 = 12$이므로 48의 $\dfrac{3}{4}$은 $12 \times 3 = 36$입니다.

4 단원

4. 분수 · 63

유형 ③ 어떤 수 구하기 [문제 해결]

정답과 풀이 16쪽

1 ㉠과 ㉡의 합을 구해 보세요.

· ㉠의 $\dfrac{4}{9}$는 20입니다.
· ㉡의 $\dfrac{2}{5}$는 10입니다.

❶ ㉠에 알맞은 수를 구해 보세요.

(**45**)

✣ $\dfrac{4}{9}$는 $\dfrac{1}{9}$이 4개인 수입니다. ㉠의 $\dfrac{4}{9}$가 20이므로 ㉠의 $\dfrac{1}{9}$은 $20 \div 4 = 5$입니다. 따라서 ㉠$= 5 \times 9 = 45$입니다.

❷ ㉡에 알맞은 수를 구해 보세요.

(**25**)

✣ $\dfrac{2}{5}$는 $\dfrac{1}{5}$이 2개인 수입니다. ㉡의 $\dfrac{2}{5}$가 10이므로 ㉡의 $\dfrac{1}{5}$은 $10 \div 2 = 5$입니다. 따라서 ㉡$= 5 \times 5 = 25$입니다.

❸ ㉠과 ㉡의 합을 구해 보세요.

(**70**)

✣ $45 + 25 = 70$

64 · Jump 3-2

2 ㉠과 ㉡의 차를 구해 보세요.

· ㉠의 $\dfrac{2}{7}$는 12입니다.
· ㉡의 $\dfrac{2}{3}$는 50입니다.

(**33**)

✣ ㉠의 $\dfrac{2}{7}$가 12이므로 ㉠의 $\dfrac{1}{7}$은 $12 \div 2 = 6$입니다.

➔ ㉠$= 6 \times 7 = 42$

㉡의 $\dfrac{2}{3}$가 50이므로 ㉡의 $\dfrac{1}{3}$은 $50 \div 2 = 25$입니다.

➔ ㉡$= 25 \times 3 = 75$

따라서 ㉠과 ㉡의 차는 $75 - 42 = 33$입니다.

3 어떤 수의 $\dfrac{3}{4}$은 18입니다. 어떤 수의 $\dfrac{1}{8}$은 얼마인지 구해 보세요.

(**3**)

✣ 어떤 수의 $\dfrac{3}{4}$이 18이므로 어떤 수의 $\dfrac{1}{4}$은 $18 \div 3 = 6$입니다.

따라서 (어떤 수)$= 6 \times 4 = 24$이므로 24의 $\dfrac{1}{8}$은 3입니다.

4 어떤 수의 $\dfrac{5}{8}$은 35입니다. 어떤 수의 $\dfrac{1}{2}$은 얼마인지 구해 보세요.

(**28**)

✣ 어떤 수의 $\dfrac{5}{8}$가 35이므로 어떤 수의 $\dfrac{1}{8}$은 $35 \div 5 = 7$입니다.

따라서 (어떤 수)$= 7 \times 8 = 56$이므로 56의 $\dfrac{1}{2}$은 28입니다.

4 단원

4. 분수 · 65

유형 ④ 수 카드로 분수 만들기 [문제 해결]

1 3장의 수 카드 중에서 2장을 골라 한 번씩만 사용하여 만들 수 있는 진분수와 가분수는 모두 몇 개인지 구해 보세요.

[2] [3] [7]

❶ 만들 수 있는 진분수는 몇 개일까요?

(**3개**)

❖ 진분수는 분자가 분모보다 작은 분수이므로 만들 수 있는 진분수는 $\frac{2}{3}, \frac{2}{7}, \frac{3}{7}$ 입니다. ➡ 3개

❷ 만들 수 있는 가분수는 몇 개일까요?

(**3개**)

❖ 가분수는 분자가 분모와 같거나 분모보다 큰 분수이므로 만들 수 있는 가분수는 $\frac{3}{2}, \frac{7}{2}, \frac{7}{3}$ 입니다. ➡ 3개

❸ 만들 수 있는 진분수와 가분수는 모두 몇 개인지 구해 보세요.

(**6개**)

❖ 만들 수 있는 진분수와 가분수는 각각 3개씩이므로 모두 6개 입니다.

2 3장의 수 카드 중에서 2장을 골라 한 번씩만 사용하여 만들 수 있는 진분수를 모두 써 보세요.

[3] [4] [9]

($\frac{3}{4}, \frac{3}{9}, \frac{4}{9}$)

❖ 진분수는 분자가 분모보다 작은 분수입니다.

➡ $\frac{3}{4}, \frac{3}{9}, \frac{4}{9}$

4 3장의 수 카드 중에서 2장을 골라 한 번씩만 사용하여 만들 수 있는 가분수를 모두 써 보세요.

[9] [6] [2]

($\frac{6}{2}, \frac{9}{2}, \frac{9}{6}$)

❖ 가분수는 분자가 분모와 같거나 분모보다 큰 분수입니다.

➡ $\frac{6}{2}, \frac{9}{2}, \frac{9}{6}$

5 4장의 수 카드가 있습니다. 이 중 7을 포함한 수 카드 3장을 골라 한 번씩만 사용하여 만들 수 있는 분수 중 분모가 7인 대분수를 모두 써 보세요.

[7] [5] [8] [3]

($3\frac{5}{7}, 5\frac{3}{7}, 8\frac{3}{7}, 8\frac{5}{7}$)

❖ 대분수의 분수 부분은 진분수이므로 분모가 7인 진분수를 만들면 $\frac{3}{7}, \frac{5}{7}$ 입니다.

따라서 분모가 7인 대분수는 $5\frac{3}{7}, 8\frac{3}{7}, 3\frac{5}{7}, 8\frac{5}{7}$ 입니다.

4 단원

유형 ⑤ 조건에 맞는 분수 구하기 [문제 해결]

1 조건을 모두 만족하는 분수를 구해 보세요.

· 진분수입니다.
· 분모와 분자의 합은 9입니다.
· 분모와 분자의 차는 1입니다.

❶ 분모와 분자의 합이 9인 진분수를 모두 써 보세요.

($\frac{1}{8}, \frac{2}{7}, \frac{3}{6}, \frac{4}{5}$)

❖ $\frac{▲}{■}$ 에서 ▲+■=9이고 진분수는 분자가 분모보다 작은 분수이므로 ▲<■입니다.

➡ ▲=1일 때 ■=9-1=8이므로 $\frac{▲}{■}=\frac{1}{8}$

▲=2일 때 ■=9-2=7이므로 $\frac{▲}{■}=\frac{2}{7}$

❷ ❶의 진분수 중에서 분모와 분자의 차가 1인 진분수를 써 보세요.

($\frac{4}{5}$)

▲=3일 때 ■=9-3=6이므로 $\frac{▲}{■}=\frac{3}{6}$

▲=4일 때 ■=9-4=5이므로 $\frac{▲}{■}=\frac{4}{5}$

▲=5일 때 ■=9-5=4이므로 $\frac{▲}{■}=\frac{5}{4}$ (×)

❸ 조건을 모두 만족하는 분수를 써 보세요.

($\frac{4}{5}$)

2 조건을 만족하는 분수는 모두 몇 개인지 구해 보세요.

· 분모가 7인 가분수입니다.
· $1\frac{6}{7}$ 보다 작습니다.

(**6개**)

❖ 분모가 7인 가분수: $\frac{7}{7}, \frac{8}{7}, \frac{9}{7}, \frac{10}{7}, \frac{11}{7}, \frac{12}{7}, \frac{13}{7}$ ……

$1\frac{6}{7}=\frac{13}{7}$ 이므로 $\frac{13}{7}$ 보다 작은 가분수는

$\frac{7}{7}, \frac{8}{7}, \frac{9}{7}, \frac{10}{7}, \frac{11}{7}, \frac{12}{7}$ 로 모두 6개입니다.

3 조건을 모두 만족하는 대분수를 구해 보세요.

· 3보다 크고 4보다 작은 수입니다.
· 분자와 분모의 합은 10입니다.
· 분자와 분모의 차는 4입니다.

($3\frac{3}{7}$)

❖ 3보다 크고 4보다 작은 수이므로 대분수의 자연수 부분은 3입니다.

분자와 분모의 합이 10인 진분수는 $\frac{1}{9}, \frac{2}{8}, \frac{3}{7}, \frac{4}{6}$ 이고

이 중에서 분자와 분모의 차가 4인 분수는 $\frac{3}{7}$ 입니다.

따라서 모든 조건을 만족하는 분수는 $3\frac{3}{7}$ 입니다.

4 단원

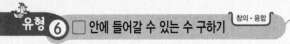

GO! 매쓰 Jump 정답

유형 6 □ 안에 들어갈 수 있는 수 구하기   창의·용합

정답과 풀이 18쪽

1 □ 안에 들어갈 수 있는 수 중 가장 큰 수를 구해 보세요.

$$5\frac{7}{13} > \frac{\square}{13}$$

❶ $5\frac{7}{13}$ 을 가분수로 바꾸어 보세요.

($\frac{72}{13}$)

❖ $5\frac{7}{13}$ ➡ (5와 $\frac{7}{13}$) ➡ ($\frac{65}{13}$ 와 $\frac{7}{13}$) ➡ $\frac{72}{13}$

❷ 알맞은 말에 ○표 하세요.

분모가 같은 가분수의 크기 비교는 (분모, (분자)가 큰 분수가 더 큽니다.

❸ □ 안에 들어갈 수 있는 가장 큰 수를 구해 보세요.

(71)

❖ $\frac{72}{13} > \frac{\square}{13}$ 이므로 72 > □입니다.

따라서 □ 안에 들어갈 수 있는 가장 큰 수는 71입니다.

70 · Jump 3-2

2 □ 안에 들어갈 수 있는 수를 모두 구해 보세요.

$$\frac{7}{4} > 1\frac{\square}{4}$$

(1, 2)

❖ 가분수 $\frac{7}{4}$ 을 대분수로 나타내면 $1\frac{3}{4}$ 입니다.

$1\frac{3}{4}$ 보다 작은 대분수는 $1\frac{2}{4}$, $1\frac{1}{4}$ 이므로 □ 안에 들어갈 수 있는 수는 1, 2입니다.

3 □ 안에 들어갈 수 있는 수 중에서 20보다 큰 수를 모두 구해 보세요.

$$\frac{\square}{9} < 2\frac{7}{9}$$

(21, 22, 23, 24)

❖ $2\frac{7}{9}$ 을 가분수로 나타내면 $\frac{25}{9}$ 입니다.

$\frac{\square}{9} < \frac{25}{9}$ 에서 □ < 25이므로 □ 안에 들어갈 수 있는 수는 25보다 작은 수입니다. 이 중 20보다 큰 수는 21, 22, 23, 24입니다.

4 □ 안에 들어갈 수 있는 수를 모두 구해 보세요.

$$2\frac{8}{11} < \frac{\square}{11} < 3\frac{2}{11}$$

❖ $2\frac{8}{11} = \frac{30}{11}$, $3\frac{2}{11} = \frac{35}{11}$ 이므로   (31, 32, 33, 34)

$\frac{30}{11} < \frac{\square}{11} < \frac{35}{11}$ 에서 30 < □ < 35입니다.

따라서 □ 안에 들어갈 수 있는 수는 31, 32, 33, 34입니다.

4. 분수 · 71

4 단원

사고력 종합 평가

정답과 풀이 18쪽

1 그림을 보고 사과 16개의 $\frac{3}{4}$ 은 몇 개인지 구해 보세요.

(12개)

❖ 16개를 똑같이 4묶음으로 묶으면 한 묶음이 4개입니다.

따라서 사과 16개의 $\frac{3}{4}$ 은 12개입니다.

2 그림을 보고 1 m의 $\frac{4}{5}$ 는 몇 cm인지 구해 보세요.

(80 cm)

❖ 1 m는 100 cm입니다. ➡ 100 cm의 $\frac{4}{5}$ 는 80 cm입니다.

3 1시간의 $\frac{1}{4}$ 은 몇 분인지 구해 보세요.

(15분)

❖ 1시간 = 60분입니다.

72 · Jump 3-2   따라서 60분의 $\frac{1}{4}$ 은 15분입니다.

4 다음 도형의 전체 넓이는 48입니다. 색칠한 부분의 넓이는 얼마인지 구해 보세요.

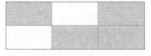

(32)

❖ 색칠한 부분은 전체의 $\frac{4}{6}$ 입니다. 48의 $\frac{4}{6}$ 는 32입니다.

5 ㉠에 알맞은 수를 구해 보세요.

(40)

❖ ㉠을 똑같이 5로 나눈 것 중의 3이 24이므로 ㉠의 $\frac{3}{5}$ 은 24입니다.

따라서 ㉠의 $\frac{1}{5}$ 은 24 ÷ 3 = 8이므로 ㉠ = 8 × 5 = 40입니다.

6 두 분수의 크기를 비교하여 더 큰 분수를 빈칸에 써넣으세요.

❖ 대분수 또는 가분수로 모두 바꾼 후 크기를 비교합니다.

· $\frac{15}{13}$ 와 $1\frac{1}{13}$ 의 크기 비교:

$1\frac{1}{13} = \frac{14}{13}$ 이므로

$\frac{15}{13} > \frac{14}{13}$ 에서

$\frac{15}{13} > 1\frac{1}{13}$ 입니다.

· $1\frac{5}{13}$ 와 $\frac{17}{13}$ 의 크기 비교: $1\frac{5}{13} = \frac{18}{13}$ 이므로 $\frac{18}{13} > \frac{17}{13}$ 에서 $1\frac{5}{13} > \frac{17}{13}$ 입니다.

· $\frac{15}{13}$ 와 $1\frac{5}{13}$ 의 크기 비교: $\frac{15}{13} = 1\frac{2}{13}$ 이므로 $1\frac{2}{13} < 1\frac{5}{13}$ 에서 $\frac{15}{13} < 1\frac{5}{13}$ 입니다.

4. 분수 · 73

4 단원

정답과 풀이 19쪽

7 □ 안에 알맞은 수를 구하여 사다리를 따라 내려갑니다. □ 안에 알맞은 수를 도착한 곳의 ( ) 안에 써넣으세요.

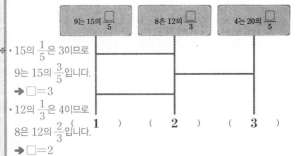

9는 15의 □/5   8은 12의 □/3   4는 20의 □/5

❖ 15의 $\frac{1}{5}$은 3이므로
9는 15의 $\frac{3}{5}$입니다.
➡ □ = 3

(1   ) (2   ) (3   )

・ 12의 $\frac{1}{3}$은 4이므로
8은 12의 $\frac{2}{3}$입니다.
➡ □ = 2

・ 20의 $\frac{1}{5}$은 4이므로 4는 20의 $\frac{1}{5}$입니다. ➡ □ = 1

8 주영이는 가지고 있던 색종이 54장 중에서 $\frac{4}{9}$를 동생에게 주었습니다. 동생에게 주고 남은 색종이는 몇 장인지 구해 보세요.

(30장   )

❖ 54의 $\frac{4}{9}$는 24입니다.
따라서 동생에게 주고 남은 색종이는 $54-24=30$(장)입니다.

9 4장의 수 카드 중에서 2장을 골라 한 번씩만 사용하여 만들 수 있는 진분수는 모두 몇 개인지 구해 보세요.

 2   4   8   9

(6개   )

❖ 진분수는 분자가 분모보다 작은 분수입니다.

74 · Jump 3-2 $\frac{2}{4}, \frac{2}{8}, \frac{4}{8}, \frac{2}{9}, \frac{4}{9}, \frac{8}{9}$ ➡ 6개

10 주연이가 말하는 분수를 모두 써 보세요.

분모가 8이고 $1\frac{3}{8}$보다 작은 가분수입니다.

주연

($\frac{10}{8}, \frac{9}{8}, \frac{8}{8}$)

❖ $1\frac{3}{8} = \frac{11}{8}$이므로 $\frac{11}{8}$보다 작은 가분수는 $\frac{10}{8}, \frac{9}{8}, \frac{8}{8}$입니다.

11 초콜릿이 36개 있습니다. 그중에서 $\frac{1}{9}$은 딸기 초콜릿이고 나머지의 $\frac{3}{8}$은 민트 초콜릿입니다. 민트 초콜릿은 몇 개인지 구해 보세요.

❖ 딸기 초콜릿은 36개의 $\frac{1}{9}$이므로   (12개   )
$36 \div 9 = 4$(개)입니다. 남은 초콜릿은 $36-4=32$(개)이므로 민트 초콜릿은 32개의 $\frac{3}{8}$입니다. ➡ $32 \div 8 = 4$ $4 \times 3 = 12$(개)

12 떨어진 높이의 $\frac{5}{6}$만큼 튀어 오르는 공이 있습니다. 이 공을 72 m 높이에서 떨어뜨린다면 두 번째로 튀어 오른 공의 높이는 몇 m인지 구해 보세요.

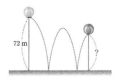
72 m   ?

(50 m   )

❖ 첫 번째 튀어 오른 공의 높이는 72 m의 $\frac{5}{6}$이므로 60 m입니다.
두 번째 튀어 오른 공의 높이는 60 m의 $\frac{5}{6}$이므로 50 m입니다.   4. 분수 · 75

4 단원

정답과 풀이 19쪽

13 어떤 수의 $\frac{5}{7}$는 40입니다. 어떤 수의 $\frac{3}{8}$은 얼마인지 구해 보세요.

(21   )

❖ 어떤 수의 $\frac{5}{7}$는 40이므로 어떤 수의 $\frac{1}{7}$은 $40 \div 5 = 8$입니다.
따라서 (어떤 수)$= 8 \times 7 = 56$이므로 56의 $\frac{3}{8}$은 21입니다.

14 □ 안에 들어갈 수 있는 가장 큰 수를 구해 보세요.

 $\frac{□}{15} < 2\frac{4}{15}$

(33   )

❖ $2\frac{4}{15} = \frac{34}{15}$이므로 $\frac{□}{15} < \frac{34}{15}$입니다. 따라서 □ < 34에서 □ 안에 들어갈 수 있는 가장 큰 수는 33입니다.

15 조건을 모두 만족하는 분수를 구해 보세요.

・분모는 1보다 큰 가분수입니다.
・분모와 분자의 합은 17입니다.
・분모와 분자의 차는 3입니다.

($\frac{10}{7}$)

❖ 분모가 1보다 크고 분모와 분자의 합이 17인 가분수는
$\frac{15}{2}, \frac{14}{3}, \frac{13}{4}, \frac{12}{5}, \frac{11}{6}, \frac{10}{7}, \frac{9}{8}$입니다.

76 · Jump 3-2   이 중에서 분모와 분자의 차가 3인 가분수는 $\frac{10}{7}$입니다.

[GO! 매쓰]
여기까지 4단원 내용입니다.
다음부터는 5단원 내용이 시작합니다.

유형 ① 부은 횟수로 들이 비교하기 〔추론〕

정답과 풀이 20쪽

1 다음 냄비에 물을 가득 채우려면 ㉮, ㉯, ㉰ 컵으로 다음과 같이 각각 부어야 합니다. 들이가 적은 순서대로 컵의 기호를 써 보세요.

컵	㉮	㉯	㉰
부은 횟수(번)	7	9	5

❶ 알맞은 말에 ○표 하세요.

> 물을 부은 횟수가 많을수록 컵의 들이가 (적습니다 , 많습니다).

❖ 들이가 적은 컵으로 냄비에 물을 가득 채우려면 더 많이 부어야 합니다.

❷ 들이가 가장 적은 컵의 기호를 써 보세요.

(㉯)

❖ 물을 부은 횟수가 가장 많은 컵을 찾으면 ㉯입니다.

❸ 들이가 적은 순서대로 컵의 기호를 써 보세요.

(㉯, ㉮, ㉰)

❖ 9>7>5이므로 ㉯의 들이가 가장 적고 ㉰의 들이가 가장 많습니다.

2 같은 그릇에 물을 가득 채우기 위해 세 친구가 각각의 컵으로 다음과 같이 부었습니다. 들이가 적은 컵을 가지고 있는 친구부터 순서대로 이름을 써 보세요.

(준영, 효은, 연서)

❖ 물을 부은 횟수가 많을수록 컵의 들이가 적습니다.
➡ 11>9>8이므로 들이가 적은 컵을 가지고 있는 친구부터 순서대로 쓰면 준영, 효은, 연서입니다.

3 다음 냄비에 물을 가득 채우려면 ㉮, ㉯, ㉰ 컵으로 다음과 같이 각각 부어야 합니다. 들이가 많은 순서대로 컵의 기호를 써 보세요.

컵	㉮	㉯	㉰
부은 횟수(번)	11	13	17

(㉮, ㉯, ㉰)

❖ 물을 부은 횟수가 적을수록 컵의 들이가 많습니다.
➡ 11<13<17이므로 들이가 많은 순서는 ㉮, ㉯, ㉰입니다.

⑤ 단원

유형 ② 들이의 덧셈과 뺄셈 활용하기 〔문제 해결〕

정답과 풀이 20쪽

1 다음을 보고 호영이네 바가지의 들이는 몇 mL인지 구해 보세요.

❶ 지우네 바가지의 들이는 몇 L 몇 mL일까요?

(2 L 400 mL)

❖ (지우네 바가지의 들이)=(정호네 바가지의 들이)+200 mL
=2 L 200 mL+200 mL
=2 L 400 mL

❷ 호영이네 바가지의 들이는 몇 L 몇 mL일까요?

(1 L 900 mL)

❖ (호영이네 바가지의 들이)=(지우네 바가지의 들이)-500 mL
=2 L 400 mL-500 mL
=1 L 900 mL

❸ 호영이네 바가지의 들이는 몇 mL일까요?

(1900 mL)

❖ 1 L 900 mL=1000 mL+900 mL=1900 mL

2 다음을 보고 실험도구 ㉰의 들이는 몇 mL인지 구해 보세요.

(2200 mL)

❖ (㉯의 들이)=(㉮의 들이)-700 mL
=2 L 400 mL-700 mL=1 L 700 mL
(㉰의 들이)=(㉯의 들이)+500 mL
=1 L 700 mL+500 mL=2 L 200 mL
➡ 2200 mL

3 영훈이와 보라는 1 L 500 mL가 들어 있는 주스를 각각 사서 마셨습니다. 다음을 읽고 두 사람이 마신 주스는 모두 몇 L 몇 mL인지 구해 보세요.

> 영훈: 내가 마시고 남은 주스는 700 mL야.
> 보라: 내가 마시고 남은 주스는 600 mL야.

(1 L 700 mL)

❖ 영훈이가 마신 주스: 1 L 500 mL-700 mL=800 mL
보라가 마신 주스: 1 L 500 mL-600 mL=900 mL
➡ 두 사람이 마신 주스: 800 mL+900 mL
=1700 mL
=1 L 700 mL

⑤ 단원

유형 ③ 부분의 무게 구하기 〔문제 해결〕

1 다음은 어느 식당에서 하루에 사용하는 재료의 무게를 나타낸 표입니다. 이 식당에서 하루에 사용하는 재료의 전체 무게가 21 kg 100 g이라면 양파의 무게는 몇 kg 몇 g인지 구해 보세요.

돼지고기	양파	감자	무
7200 g		3 kg 800 g	4 kg 500 g

❶ 하루에 사용하는 돼지고기는 몇 kg 몇 g일요?

(**7 kg 200 g**)

❖ 7200 g=7000 g+200 g=7 kg 200 g

❷ 양파를 제외한 나머지 재료의 무게는 모두 몇 kg 몇 g인지 구해 보세요.

(**15 kg 500 g**)

❖ (돼지고기의 무게)+(감자의 무게)+(무의 무게)
=7 kg 200 g+3 kg 800 g+4 kg 500 g
=11 kg+4 kg 500 g=15 kg 500 g

❸ 하루에 사용하는 양파의 무게는 몇 kg 몇 g인지 구해 보세요.

(**5 kg 600 g**)

❖ (양파의 무게)=(전체 재료의 무게)−(양파를 제외한 나머지 재료의 무게)
=21 kg 100 g−15 kg 500 g=5 kg 600 g

---

2 다음은 지영이네 집에서 일주일 동안 나온 재활용품의 무게를 나타낸 표입니다. 지영이네 집에서 일주일 동안 나온 재활용품의 전체 무게가 9 kg 100 g이라면 병류의 무게는 몇 kg 몇 g인지 구해 보세요.

종이류	플라스틱류	병류	캔류
1500 g	1 kg 600 g		2 kg 800 g

(**3 kg 200 g**)

❖ 종이류: 1500 g=1000 g+500 g=1 kg 500 g
(병류를 제외한 나머지 재활용품의 무게)
=1 kg 500 g+1 kg 600 g+2 kg 800 g
=3 kg 100 g+2 kg 800 g=5 kg 900 g
➜ (병류의 무게)
=(전체 재활용품의 무게)−(병류를 제외한 나머지 재활용품의 무게)
=9 kg 100 g−5 kg 900 g=3 kg 200 g

3 돼지고기 5근을 사서 요리하는 데 1 kg 600 g을 사용하였습니다. 남은 돼지고기는 몇 kg 몇 g인지 구해 보세요.
(단, 돼지고기 한 근은 600 g입니다.)

(**1 kg 400 g**)

❖ 돼지고기 5근: 600 g+600 g+600 g+600 g+600 g
=3000 g=3 kg
➜ 남은 돼지고기의 무게: 3 kg−1 kg 600 g=1 kg 400 g

유형 ④ 상자의 무게 구하기 〔추론〕

1 무게가 같은 멜론 5개가 들어 있는 상자의 무게는 7 kg 600 g입니다. 그중에서 멜론 2개를 빼고 다시 무게를 재어 보니 4 kg 800 g이었습니다. 상자만의 무게는 몇 g인지 구해 보세요.

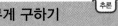

7 kg 600 g   4 kg 800 g   ?

❶ 멜론 2개의 무게는 몇 kg 몇 g일요?

(**2 kg 800 g**)

❖ (멜론 2개의 무게)
=(멜론 5개가 들어 있는 상자의 무게)
−(멜론 3개가 들어 있는 상자의 무게)
=7 kg 600 g−4 kg 800 g=2 kg 800 g

❷ 멜론 1개의 무게는 몇 kg 몇 g일요?

(**1 kg 400 g**)

❖ 1 kg 400 g+1 kg 400 g=2 kg 800 g이므로
멜론 1개의 무게는 1 kg 400 g입니다.

❸ 상자만의 무게는 몇 g일요?

(**600 g**)

❖ (멜론 5개의 무게)
=1 kg 400 g+1 kg 400 g+1 kg 400 g+1 kg 400 g+1 kg 400 g
=7 kg
➜ (상자만의 무게)=(멜론 5개가 들어 있는 상자의 무게)−(멜론 5개의 무게)
=7 kg 600 g−7 kg=600 g

---

2 무게가 같은 농구공 4개가 들어 있는 상자의 무게는 3 kg 600 g입니다. 그중에서 농구공 2개를 빼고 다시 무게를 재어 보니 2 kg 400 g이었습니다. 상자만의 무게는 몇 kg 몇 g인지 구해 보세요.

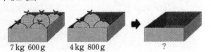

3 kg 600 g   2 kg 400 g   ?

(**1 kg 200 g**)

❖ (농구공 2개의 무게)=3 kg 600 g−2 kg 400 g
=1 kg 200 g=1200 g
600 g+600 g=1200 g이므로 농구공 1개의 무게는 600 g입니다.
(농구공 4개의 무게)=600 g+600 g+600 g+600 g
=2400 g=2 kg 400 g
➜ (상자만의 무게)
=(농구공 4개가 들어 있는 상자의 무게)−(농구공 4개의 무게)
=3 kg 600 g−2 kg 400 g=1 kg 200 g

3 무게가 같은 세제통 4개가 들어 있는 상자의 무게는 8 kg 500 g입니다. 그중에서 세제통 3개를 빼고 다시 무게를 재어 보니 3 kg 700 g이었습니다. 세제통 2개가 들어 있는 상자의 무게는 몇 kg 몇 g인지 구해 보세요.

(**5 kg 300 g**)

❖ (세제통 3개의 무게)=8 kg 500 g−3 kg 700 g
=4 kg 800 g
1 kg 600 g+1 kg 600 g+1 kg 600 g=4 kg 800 g이므로
세제통 1개의 무게는 1 kg 600 g입니다.
(세제통 4개의 무게)=1 kg 600 g+1 kg 600 g+1 kg 600 g+1 kg 600 g
=6 kg 400 g
(상자만의 무게)=(세제통 4개가 들어 있는 상자의 무게)−(세제통 4개의 무게)
=8 kg 500 g−6 kg 400 g=2 kg 100 g
➜ (세제통 2개가 들어 있는 상자의 무게)=(세제통 2개의 무게)+(상자만의 무게)
=1 kg 600 g+1 kg 600 g+2 kg 100 g
=5 kg 300 g

유형 ⑤ 수조에 물 담는 방법 알아보기 · 창의·융합

1 들이가 다음과 같은 두 물통을 모두 사용하여 빈 수조에 물 5 L를 담는 방법을 알아보세요.

1 L 500 mL   2 L

❶ □ 안에 알맞은 수를 써넣으세요.

㉮ 물통에 물을 가득 담아 수조에 2번 부으면
1 L 500 mL + 1 L 500 mL = $\boxed{3}$ L입니다.
3 L + $\boxed{2}$ L = 5 L이므로 수조에 물을 $\boxed{2}$ L 더 담아야 합니다.
따라서 들이가 2 L인 ㉯ 물통에 물을 가득 담아 수조에 $\boxed{1}$ 번 부으면 수조 안의 물의 양은 5 L입니다.

❷ 위 ❶번과 다른 방법으로 수조에 물 5 L를 담아 보세요.

㉮ 물통에 물을 가득 담아 수조에 6번 부으면 $\boxed{9}$ L입니다.
9 L − $\boxed{4}$ L = 5 L이므로 수조에 있는 물을 $\boxed{4}$ L 덜어 내야 합니다.
2 L + 2 L = $\boxed{4}$ L이므로 수조에 있는 물을 ㉯ 물통에 가득 담아 $\boxed{2}$ 번 덜어 내면 수조에 남은 물의 양은 5 L입니다.

86 · Jump 3-2

2 들이가 다음과 같은 두 물통을 모두 사용하여 빈 수조에 물 1 L를 담는 방법을 2가지 완성해 보세요.

3 L   2 L 500 mL

방법 1 ㉮ 물통에 물을 가득 담아 수조에 2번 부으면 $\boxed{6}$ L입니다.
6 L − $\boxed{5}$ L = 1 L이므로 수조에 있는 물을 $\boxed{5}$ L 덜어 내야 합니다.
2 L 500 mL + 2 L 500 mL = $\boxed{5}$ L이므로 수조에 있는 물을 ㉯ 물통에 가득 담아 $\boxed{2}$ 번 덜어 내면 수조에 남은 물의 양은 1 L입니다.

방법 2 ㉯ 물통에 물을 가득 담아 수조에 4번 부으면 $\boxed{10}$ L입니다.
10 L − $\boxed{9}$ L = 1 L이므로 수조에 있는 물을 $\boxed{9}$ L 덜어 내야 합니다.
3 L + 3 L + 3 L = $\boxed{9}$ L이므로 수조에 있는 물을 ㉮ 물통에 가득 담아 $\boxed{3}$ 번 덜어 내면 수조에 남은 물의 양은 1 L입니다.

3 들이가 다음과 같은 두 물통을 모두 사용하여 빈 수조에 물 6 L를 담는 방법을 써 보세요.

5 L   2 L

정답 예 ㉮ 물통에 물을 가득 담아 ㉯ 물통에 가득 찰 때까지 부어 덜어 내면 ㉮ 물통에 남은 물은 5 L − 2 L = 3 L 입니다. 이 물을 수조에 붓고 이 과정을 한 번 더 반복하면 수조 안의 물의 양은 3 L + 3 L = 6 L가 됩니다.

5. 들이와 무게 · 87

유형 ⑥ 구슬의 무게 구하기 · 문제 해결

1 저울을 보고 **가** 구슬 1개의 무게가 15 g일 때 **라** 구슬 1개의 무게는 몇 g인지 구해 보세요. (단, 같은 구슬끼리는 무게가 각각 같습니다.)

❶ **나** 구슬 1개의 무게는 몇 g일까요?
(**30 g**)
✧ 가 + 가 + 가 + 가 = 15 g + 15 g + 15 g + 15 g = 60 g
나 + 나 = 60 g이므로
나 구슬 1개의 무게는 60 ÷ 2 = 30 (g)입니다.

❷ **다** 구슬 1개의 무게는 몇 g일까요?
(**45 g**)
✧ 가 + 가 + 나 + 나 = 15 g + 15 g + 30 g + 30 g = 90 g
다 + 다 = 90 g이므로
다 구슬 1개의 무게는 90 ÷ 2 = 45 (g)입니다.

❸ **라** 구슬 1개의 무게는 몇 g일까요?
(**60 g**)
✧ 가 + 가 + 가 + 나 + 다 = 15 g + 15 g + 15 g + 30 g + 45 g
= 120 g
라 + 라 = 120 g이므로
라 구슬 1개의 무게는 120 ÷ 2 = 60 (g)입니다.

88 · Jump 3-2

2 저울을 보고 지우개 1개의 무게가 20 g일 때 쇠구슬 1개의 무게는 몇 g인지 구해 보세요. (단, 같은 물건끼리는 무게가 각각 같습니다.)

지우개 5개   풀 2개   풀 1개 지우개 2개   쇠구슬 3개

✧ (지우개 5개의 무게) = 20 × 5 = 100 (g)   (**30 g**)
풀 2개의 무게가 100 g이므로 풀 1개의 무게는 100 ÷ 2 = 50 (g)입니다.
(풀 1개와 지우개 2개의 무게의 합) = 50 + 20 + 20 = 90 (g)
쇠구슬 3개의 무게가 90 g이므로
쇠구슬 1개의 무게는 90 ÷ 3 = 30 (g)입니다.

3 치약, 쇠구슬, 풀의 무게를 비교하였습니다. 치약 1개, 쇠구슬 1개, 풀 1개 중 무게가 가장 가벼운 것은 어느 것인지 써 보세요. (단, 같은 물건끼리는 무게가 각각 같습니다.)

치약 2개   쇠구슬 4개   치약 1개   풀 3개

(**풀 1개**)

✧ 왼쪽 저울에서 (치약 2개의 무게) = (쇠구슬 4개의 무게)이므로
(치약 1개의 무게) = (쇠구슬 2개의 무게)입니다.
오른쪽 저울에서 (치약 1개의 무게) = (풀 3개의 무게)이므로
(치약 1개의 무게) = (쇠구슬 2개의 무게) = (풀 3개의 무게)입니다.
따라서 풀 1개의 무게가 가장 가볍습니다.

5. 들이와 무게 · 89

1 계산에서 잘못된 부분을 찾아 그 이유를 쓰고 바르게 계산해 보세요.

$$\begin{array}{r} 4 \text{ kg } 600 \text{ g} \\ + 3 \text{ kg } 700 \text{ g} \\ \hline 7 \text{ kg } 300 \text{ g} \end{array} \Rightarrow \boxed{\begin{array}{r} 1 \\ 4 \text{ kg } 600 \text{ g} \\ + 3 \text{ kg } 700 \text{ g} \\ \hline \mathbf{8 \text{ kg } 300 \text{ g}} \end{array}}$$

이유 예 g끼리의 합이 1000 g을 넘으므로 1000 g을 1 kg으로 받아올림해야 하는 것을 빠뜨렸습니다.

2 들이가 1000 mL인 바가지에 물을 가득 담아 세숫대야에 4번 부었더니 가득 찼습니다. 세숫대야의 들이는 몇 L일까요?

(**4 L**)

❖ $1000 \text{ mL} + 1000 \text{ mL} + 1000 \text{ mL} + 1000 \text{ mL} = 4000 \text{ mL}$
$\phantom{1000 \text{ mL} + 1000 \text{ mL} + 1000 \text{ mL} + 1000 \text{ mL}} = 4 \text{ L}$

3 감자가 ㉠ 상자에는 3600 g 들어 있고 ㉡ 상자에는 2 kg 890 g 들어 있습니다. 어느 상자에 감자가 몇 g 더 많이 들어 있는지 차례로 써 보세요.

3600 g · · · · · 2 kg 890 g

(**㉠ 상자**), (**710 g**)

❖ $3600 \text{ g} = 3 \text{ kg } 600 \text{ g}$
$3 \text{ kg } 600 \text{ g} > 2 \text{ kg } 890 \text{ g}$이므로 ㉠ 상자에 들어 있는 감자가 $3 \text{ kg } 600 \text{ g} - 2 \text{ kg } 890 \text{ g} = 710 \text{ g}$ 더 많습니다.

정답과 풀이 23쪽

❖ (1) mL 단위의 계산: □+800=1500
➔ □=1500−800, □=700
L 단위의 계산: 1+2+□=6 ➔ 3+□=6, □=6−3, □=3

4 □ 안에 알맞은 수를 써넣으세요.

(1)

$$\begin{array}{r} 2 \text{ L } \boxed{700} \text{ mL} \\ + \boxed{3} \text{ L } 800 \text{ mL} \\ \hline 6 \text{ L } 500 \text{ mL} \end{array}$$

(2)

$$\begin{array}{r} \boxed{6} \text{ L } 700 \text{ mL} \\ - 2 \text{ L } \boxed{900} \text{ mL} \\ \hline 3 \text{ L } 800 \text{ mL} \end{array}$$

(2) mL 단위의 계산: 1000+700−□=800
➔ 1700−□=800, □=1700−800, □=900
L 단위의 계산: □−1−2=3 ➔ □=3+2+1, □=6

5 승기, 윤아, 지원이는 각각 같은 그릇에 물을 가득 채우려고 합니다. 서로 다른 컵을 사용하여 승기는 7번, 윤아는 10번, 지윤이는 6번 부었더니 그릇에 물이 가득 찼습니다. 들이가 적은 컵을 가지고 있는 친구부터 순서대로 이름을 써 보세요.

(**윤아, 승기, 지윤**)

❖ 물을 부은 횟수가 많을수록 컵의 들이가 적습니다.
➔ 10>7>6이므로 들이가 적은 컵을 가지고 있는 친구부터 순서대로 쓰면 윤아, 승기, 지윤입니다.

6 다음을 보고 ㉢의 들이는 몇 mL인지 구해 보세요.

> · ㉠의 들이는 2 L 600 mL입니다.
> · ㉡의 들이는 ㉠의 들이보다 600 mL 더 많습니다.
> · ㉢의 들이는 ㉡의 들이보다 2 L 700 mL 더 적습니다.

㉠   ㉡   ㉢

(**500 mL**)

❖ (㉡의 들이)=(㉠의 들이)+600 mL
$ = 2 \text{ L } 600 \text{ mL} + 600 \text{ mL} = 3 \text{ L } 200 \text{ mL}$
(㉢의 들이)=(㉡의 들이)−2 L 700 mL
$ = 3 \text{ L } 200 \text{ mL} - 2 \text{ L } 700 \text{ mL} = 500 \text{ mL}$

5 단원

정답과 풀이 23쪽

7 자동차에 휘발유가 9 L 200 mL 들어 있습니다. 이 휘발유를 어제는 2 L 500 mL 사용했고, 오늘은 3 L 600 mL 사용했습니다. 자동차에 남아 있는 휘발유는 몇 L 몇 mL인지 구해 보세요.

(**3 L 100 mL**)

❖ (사용한 휘발유의 양)=2 L 500 mL+3 L 600 mL
$ = 6 \text{ L } 100 \text{ mL}$
➔ (남아 있는 휘발유의 양)=9 L 200 mL−6 L 100 mL
$ = 3 \text{ L } 100 \text{ mL}$

8 들이가 3 L인 주전자에 물을 가득 채우려고 합니다. 들이가 600 mL인 물통에 물을 가득 담아 몇 번 부어야 하는지 구해 보세요.

3 L   600 mL

(**5번**)

❖ 3 L=3000 mL입니다.
600 mL+600 mL+600 mL+600 mL+600 mL=3000 mL 이므로 들이가 600 mL인 물통으로 5번 부어야 합니다.

9 혜승이네 집에 토마토가 8900 g 있었습니다. 그중에서 3 kg 500 g을 먹고 2 kg 700 g을 새로 사 왔습니다. 혜승이네 집에 있는 토마토는 몇 kg 몇 g인지 구해 보세요.

(**8 kg 100 g**)

❖ 8900 g=8 kg 900 g입니다.
(먹은 후 토마토의 무게)=8 kg 900 g−3 kg 500 g
$ = 5 \text{ kg } 400 \text{ g}$
(새로 사 온 후 토마토의 무게)=5 kg 400 g+2 kg 700 g
$ = 8 \text{ kg } 100 \text{ g}$

---

10 냉장고에 1 L 500 mL씩 들어 있는 주스가 2병 있습니다. 이 주스를 언니와 주아가 각각 370 mL씩 마셨습니다. 남은 주스는 몇 L 몇 mL인지 구해 보세요.

(**2 L 260 mL**)

❖ (주스 2병의 양)=1 L 500 mL+1 L 500 mL=3 L
(언니와 주아가 마신 주스의 양)=370 mL+370 mL=740 mL
➔ (남은 주스의 양)=3 L−740 mL=2 L 260 mL

11 가영, 준수, 혜미 세 사람의 몸무게의 합은 98 kg 800 g입니다. 다음을 보고 혜미의 몸무게는 몇 kg 몇 g인지 구해 보세요.

내 몸무게는 33 kg 900 g이야.
내 몸무게는 32 kg 200 g이야.
내 몸무게를 맞혀 봐.

가영   준수   혜미
98 kg 800 g

(**32 kg 700 g**)

❖ (가영이와 준수의 몸무게의 합)=33 kg 900 g+32 kg 200 g
$ = 66 \text{ kg } 100 \text{ g}$
➔ (혜미의 몸무게)=98 kg 800 g−66 kg 100 g
$ = 32 \text{ kg } 700 \text{ g}$

12 연필 7자루의 무게는 가위 2개와 연필 2자루의 무게의 합과 같습니다. 연필 1자루의 무게가 100 g일 때, 가위 1개의 무게는 몇 g인지 구해 보세요. (단, 같은 물건끼리는 무게가 각각 같습니다.)

(**250 g**)

❖ 연필 1자루의 무게가 100 g이므로 연필 7자루의 무게는 700 g, 연필 2자루의 무게는 200 g입니다.
가위 1개의 무게를 □g이라 하면 700 g=□g+□g+200 g입니다.
□g+□g=500 g이므로 가위 1개의 무게는 500÷2=250 (g)입니다.

5 단원

94쪽

정답과 풀이 24쪽

13 들이가 다음과 같은 두 물통을 모두 사용하여 빈 수조에 물 7 L를 담는 방법을 완성해 보세요.

1 L 500 mL   2 L

⑭ 물통에 물을 가득 담아 수조에 5번 부으면 **10** L입니다.

10 L− **3** L=7 L이므로 수조에 있는 물을 **3** L 덜어 내야 합니다.

1 L 500 mL+1 L 500 mL= **3** L이므로 수조에 있는 물을 ㉮ 물통에 가득 담아 **2** 번 덜어 내면 수조에 남은 물의 양은 7 L입니다.

14 무게가 같은 수박 4통이 들어 있는 상자의 무게는 8 kg 500 g입니다. 그중에서 수박 2통을 빼고 다시 무게를 재어 보니 4 kg 900 g이었습니다. 상자만의 무게는 몇 kg 몇 g인지 구해 보세요.

(**1 kg 300 g**)

15 저울을 보고 가 구슬 1개의 무게가 10 g일 때 다 구슬 1개의 무게는 몇 g인지 구해 보세요.
(단, 같은 구슬끼리는 무게가 각각 같습니다.)

✤ 왼쪽 저울에서 가 구슬 6개의 무게 (**15 g**)

94·Jump 3-2 60 g은 나 구슬 3개의 무게와 같으므로
나 구슬 1개의 무게는 60÷3=20 (g)입니다.
오른쪽 저울에서 가+가+나+나=10 g+10 g+20 g+20 g=60 g이고
다 구슬 4개의 무게가 60 g이므로 다 구슬 1개의 무게는 60÷4=15 (g)입니다.

✤ (수박 2통의 무게)=8 kg 500 g−4 kg 900 g=3 kg 600 g
1 kg 800 g+1 kg 800 g=3 kg 600 g이므로
수박 1통의 무게는 1 kg 800 g입니다.
(수박 4통의 무게)=1 kg 800 g+1 kg 800 g+1 kg 800 g+1 kg 800 g
=7 kg 200 g
→ (상자만의 무게)=(수박 4통이 들어 있는 상자의 무게)−(수박 4통의 무게)
=8 kg 500 g−7 kg 200 g
=1 kg 300 g

[GO! 매쓰]
여기까지 5단원 내용입니다.
다음부터는 6단원 내용이
시작합니다.

96쪽 ~ 97쪽

유형 ① 자료를 수집하여 표로 나타내기 「문제 해결」

정답과 풀이 24쪽

1 다음은 정호네 과일 가게에서 판매하는 과일입니다. 그림을 보고 물음에 답하세요.

❶ 그림을 보고 표로 나타내어 보세요.

종류별 과일의 수

종류	사과	감	오렌지	수박	합계
과일의 수(개)	6	10	8	3	27

❷ 가장 많은 과일을 써 보세요.

(**감**)

✤ 10>8>6>3이므로 가장 많은 과일은 감입니다.

❸ 수박 수의 2배인 과일은 무엇일까요?

(**사과**)

✤ 수박은 3개이므로 3×2=6(개)인 과일을 찾으면 사과입니다.

96·Jump 3-2

2 승기네 반 학생들의 혈액형을 조사하였습니다. 조사한 자료를 표로 나타내어 보고 학생 수가 O형의 절반인 혈액형을 써 보세요.

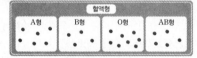

예 혈액형별 학생 수

혈액형	A형	B형	O형	AB형	합계
학생 수(명)	6	4	8	5	23

✤ (합계)=6+4+8+5=23(명) (**B형**)
O형인 학생은 8명이므로 학생 수가 8÷2=4(명)인 혈액형을
찾으면 B형입니다.

3 지민이네 반 학생들이 좋아하는 빵을 조사하였습니다. 조사한 자료를 표로 나타내어 보고 마늘빵을 좋아하는 여학생 수와 같은 수의 남학생이 좋아하는 빵을 써 보세요.

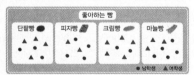

예 좋아하는 빵별 학생 수

빵	단팥빵	피자빵	크림빵	마늘빵	합계
여학생 수(명)	4	2	5	3	14
남학생 수(명)	3	4	2	5	14

✤ (여학생 수의 합)=4+2+5+3=14(명) (**단팥빵**)
(남학생 수의 합)=3+4+2+5=14(명)
마늘빵을 좋아하는 여학생 수는 3명이므로 남학생 3명이 좋아하는
빵을 찾으면 단팥빵입니다.

6 단원

6. 자료의 정리·97

유형 ② 그림그래프에서 알 수 있는 것 _{추론}

정답과 풀이 25쪽

1 진수네 모둠 학생들이 일주일 동안 마신 물의 양을 조사하여 그림그래프로 나타내었습니다. 물음에 답하세요.

학생별 마신 물의 양

이름	마신 물의 양
가영	🔴💧💧💧💧
진수	💧💧
영철	🔴💧💧
나연	🔴💧💧💧💧💧💧💧

🔴 10 L 💧 1 L

❶ 가영이가 일주일 동안 마신 물의 양은 몇 L인지 구해 보세요.

(**14 L**)

❖ 큰 그림이 1개, 작은 그림이 4개이므로 14 L입니다.

❷ 물을 많이 마신 순서대로 이름을 써 보세요.

(**진수, 나연, 가영, 영철**)

❖ 가영: 14 L, 진수: 21 L, 영철: 12 L, 나연: 17 L
➡ 21 > 17 > 14 > 12이므로 물을 많이 마신 순서대로 이름을 쓰면 진수, 나연, 가영, 영철입니다.

❸ WHO(세계보건기구)에서 권장하는 하루 물 섭취 권장량은 약 2 L입니다. 권장량보다 물을 적게 마신 사람의 이름을 써 보세요.

(**영철**)

❖ 하루 물 섭취 권장량은 약 2 L이므로 일주일 동안에는 약 2 × 7 = 14 (L)를 마셔야 합니다.
따라서 14 L보다 물을 적게 마신 사람은 12 L를 마신 영철입니다.

2 어느 햄버거 가게에서 일주일 동안 팔린 햄버거의 수를 그림그래프로 나타내었습니다. 불고기버거는 새우버거의 몇 배만큼 팔렸는지 구해 보세요.

팔린 햄버거의 수

종류	햄버거의 수
새우버거	🍔🍔🍔🍔🍔
치킨버거	🍔🍔🍔🍔🍔🍔
치즈버거	🍔🍔🍔🍔
불고기버거	🍔🍔🍔🍔🍔

🍔 10개 🍔 1개

(**2배**)

❖ 새우버거: 25개, 불고기버거: 50개
➡ 25 × 2 = 50이므로 불고기버거는 새우버거의 2배만큼 팔렸습니다.

3 어느 가게에서 일주일 동안 팔린 공의 수를 그림그래프로 나타내었습니다. 다음 주에는 어떤 공을 가장 많이 준비하면 좋을지 공의 종류와 그 이유를 써 보세요.

팔린 공의 수

종류	공의 수
축구공	⚽⚽⚽🔵
농구공	🔵🔵🔵🔵
야구공	🔵🔵🔵🔵🔵
배구공	🔵🔵🔵🔵🔵🔵

🔵 10개 🔵 1개

(**예) 축구공**)

_{이유} **예) 축구공이 가장 많이 팔렸기 때문입니다.**

❖ 축구공: 31개, 농구공: 14개, 야구공: 25개, 배구공: 16개
➡ 31 > 25 > 16 > 14이므로 가장 많이 팔린 축구공을 가장 많이 준비하는 것이 좋습니다.

유형 ③ 그림그래프 완성하기 _{문제 해결}

정답과 풀이 25쪽

1 민지네 모둠 학생들이 한 달 동안 읽은 책 수를 조사하여 나타낸 그림그래프입니다. 책을 가장 적게 읽은 사람은 누구인지 써 보세요.

학생별 읽은 책 수

이름	책 수
승기	📙📙📙📙
윤아	📙📙📙📙📙📙
민지	📙📙📙📙📙📙
효정	📙📙📙

📙 10권 📙 1권

> 우리들이 읽은 책은 모두 136권이네! — 민지

❶ 민지가 읽은 책은 몇 권일까요?

(**45권**)

❖ 136 − 32 − 26 − 33 = 45(권)

❷ 그림그래프를 완성해 보세요.

❖ 민지가 읽은 책은 45권이므로 큰 그림 4개, 작은 그림 5개를 그립니다.

❸ 책을 가장 적게 읽은 사람은 누구일까요?

(**윤아**)

❖ 큰 그림의 수가 가장 적은 윤아가 책을 가장 적게 읽었습니다.

2 민호가 4개월 동안 받은 칭찬 붙임딱지 수를 조사하여 그림그래프로 나타내었습니다. 4개월 동안 받은 칭찬 붙임딱지 수가 137장일 때 그림그래프를 완성하고 칭찬 붙임딱지를 가장 많이 받은 달을 써 보세요.

월별 받은 칭찬 붙임딱지 수

월	칭찬 붙임딱지 수
3월	😊😊😊😊
4월	😊😊😊
5월	😊😊😊😊😊
6월	😊😊😊😊

😊 10장 😊 1장

(**3월**)

❖ 4월: 137 − 42 − 25 − 34 = 36(장)
3월: 42장, 4월: 36장, 5월: 25장, 6월: 34장
➡ 42 > 36 > 34 > 25이므로 붙임딱지를 가장 많이 받은 달은 3월입니다.

3 승기네 학교 3학년 반별 학생 수를 조사하여 그림그래프로 나타내었습니다. 3학년 전체 학생 수가 101명일 때 그림그래프를 완성하고 학생 수가 많은 반부터 차례로 써 보세요.

3학년 반별 학생 수

반	학생 수
1반	🧍🧍🧍🧍🧍🧍
2반	🧍🧍🧍🧍🧍🧍
3반	🧍🧍🧍🧍🧍
4반	🧍🧍🧍🧍🧍🧍🧍

🧍 10명 🧍 1명

(**4반, 1반, 3반, 2반**)

❖ (3반 학생 수) = 101 − 26 − 23 − 27 = 25(명)
1반: 26명, 2반: 23명, 3반: 25명, 4반: 27명
➡ 27 > 26 > 25 > 23이므로 학생 수가 많은 반부터 차례로 쓰면 4반, 1반, 3반, 2반입니다.

유형 ④ 그림의 단위에 맞게 그림그래프 나타내기 〔추론〕

1 다음은 광역시별 초등학교 수를 조사하여 몇백몇십으로 나타낸 표입니다. 표를 보고 그림그래프를 완성해 보세요.

광역시별 초등학교 수

광역시	광주	대구	대전	부산	울산	인천	합계
초등학교 수(개)	150	230	150	310	120	250	1210

❶ 표를 보고 그림그래프로 나타내려고 합니다. 단위를 🏛과 🏠으로 나타낸다면 각각 몇 개로 나타내면 좋을까요?

🏛 (예 **100개**)
🏠 (예 **10개**)

✤ 초등학교 수를 몇백몇십으로 나타내었으므로
🏛는 100개, 🏠는 10개를 나타내는 것이 좋습니다.

❷ 표를 보고 그림그래프를 완성해 보세요.

예 광역시별 초등학교 수

광역시	초등학교 수
광주	🏛🏠🏠🏠🏠🏠
대구	🏛🏛🏠🏠🏠
대전	🏛🏠🏠🏠🏠🏠
부산	🏛🏛🏛🏠
울산	🏛🏠🏠
인천	🏛🏛🏠🏠🏠🏠🏠

🏛 예 **100** 개
🏠 예 **10** 개

2 어느 지역의 마을별 옥수수 생산량을 조사하여 표로 나타내었습니다. 표를 보고 그림그래프를 완성해 보세요.

마을별 옥수수 생산량

마을	가	나	다	라	합계
생산량(상자)	240	360	410	320	1330

마을별 옥수수 생산량

마을	옥수수 생산량
가	🌽🌽🖊🖊🖊🖊
나	🌽🌽🌽🖊🖊🖊🖊🖊🖊
다	🌽🌽🌽🌽🖊
라	🌽🌽🌽🖊🖊

🌽 **100** 상자
🖊 **10** 상자

✤ 🌽를 100상자, 🖊를 10상자로 하여 그림그래프를 완성합니다.

3 어느 마트에서 한 달 동안 우유의 판매량을 조사하여 표로 나타내었습니다. 표를 보고 그림그래프를 완성해 보세요.

우유 판매량

종류	딸기 맛	초콜릿 맛	바나나 맛	커피 맛	합계
판매량(개)	231	324	253	103	911

우유 판매량

종류	우유 판매량
딸기 맛	🥛🥛🥛🍶▪
초콜릿 맛	🥛🥛🥛🍶▪▪▪▪
바나나 맛	🥛🥛🍶🍶🍶▪▪▪
커피 맛	🥛▪▪▪

🥛 예 **100** 개
🍶 예 **10** 개
▪ 예 **1** 개

✤ 🥛를 100개, 🍶를 10개, ▪를 1개로 하여 그림그래프를 완성합니다.

6단원

유형 ⑤ 가장 많은 것과 가장 적은 것의 차 구하기 〔문제 해결〕

1 호영이네 모둠 친구들이 한 달 동안 도서관에서 빌린 책 수를 나타낸 그림그래프입니다. 재현이는 건희보다 책을 7권 더 많이 빌렸습니다. 빌린 책 수가 가장 많은 사람과 가장 적은 사람의 책 수의 차를 구해 보세요.

빌린 책 수

이름	책 수
호영	📗📗📘📘📘📘
건희	📗📘📘📘📘📘📘
재현	📗📗📘📘📘
나래	📗📗📗📘📘📘📘📘

📗 10권
📘 1권

❶ 재현이가 빌린 책은 몇 권일까요?

(**23권**)

✤ 큰 그림이 2개, 작은 그림이 3개이므로 23권입니다.

❷ 건희가 빌린 책은 몇 권일까요?

(**16권**)

✤ 건희는 재현이보다 7권 더 적게 빌렸으므로
23−7=16(권) 빌렸습니다.

❸ 빌린 책 수가 가장 많은 사람과 가장 적은 사람의 책 수의 차를 구해 보세요.

(**19권**)

✤ 호영: 24권, 건희: 16권, 재현: 23권, 나래: 35권
➡ 35−16=19(권)

2 제과점별 하루 동안 판매한 빵의 수를 나타낸 그림그래프입니다. 라 제과점은 나 제과점보다 빵을 15개 더 많이 팔았습니다. 판매량이 가장 많은 제과점과 가장 적은 제과점의 판매량의 차를 구해 보세요.

제과점별 빵 판매량

제과점	빵의 수
가	🍞🍞🍞🍞🍞🍞
나	🍞🍞🍞🍞🍞🍞🍞
다	🍞🍞🍞🍞🍞🍞🍞🍞
라	🍞🍞🍞🍞🍞🍞🍞🍞

🍞 10개
🍞 1개

(**26개**)

✤ (나 제과점의 판매량)=42−15=27(개)
가 제과점: 16개, 나 제과점: 27개, 다 제과점: 41개, 라 제과점: 42개
➡ 42−16=26(개)

3 마을별 은행나무 수를 나타낸 그림그래프입니다. 은행나무가 가 마을은 다 마을보다 11그루 더 많고 나 마을은 라 마을보다 20그루 더 적습니다. 은행나무 수가 가장 많은 마을과 가장 적은 마을의 은행나무 수의 차를 구해 보세요.

마을별 은행나무 수

마을	은행나무 수
가	🌳🌳🌳🌳🌳🌲🌲🌲
나	🌳🌳🌳🌲
다	🌳🌳🌳🌲🌲🌲
라	🌳🌳🌳🌳🌲

🌳 10그루
🌲 1그루

(**20그루**)

✤ (다 마을)=43−11=32(그루)
(라 마을)=31+20=51(그루)
가 마을: 43그루, 나 마을: 31그루, 다 마을: 32그루, 라 마을: 51그루
➡ 51−31=20(그루)

6단원

유형 6 조건을 이용하여 그림그래프 완성하기 `창의·융합`

정답과 풀이 27쪽

1 수도권 지역의 코로나 바이러스 감염증-19(COVID-19) 완치 환자 수를 조사하여 그림그래프로 나타내었습니다. 세 지역의 완치 환자 수의 합은 1007명이고 경기 지역의 완치 환자 수는 인천 지역보다 418명 더 많습니다. 그림그래프를 완성해 보세요.

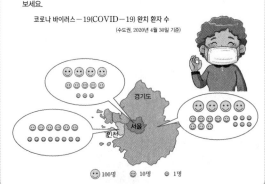

코로나 바이러스-19(COVID-19) 완치 환자 수
(수도권, 2020년 4월 30일 기준)

☺100명 ☺10명 ☺1명

❖ 인천 지역의 **①** 인천 지역의 완치 환자 수를 구해 보세요.
완치 환자 수를 □명이라 하면 경기 지역의 완치 환자 수는 (**68명**)
(□+418)명입니다.
➡ 453+□+418+□=1007, 871+□+□=1007, □+□=136, □=68
입니다. **②** 경기 지역의 완치 환자 수를 구해 보세요.
(**486명**)
❖ 68+418=486(명)

③ 그림그래프를 완성해 보세요.

106·Jump 3-2 ❖ 인천 지역은 68명이므로 중간 그림 6개, 가장 작은 그림 8개로 나타냅니다.
경기 지역은 486명이므로 가장 큰 그림 4개, 중간 그림 8개, 가장 작은 그림 6개로 나타냅니다.

2 승혜는 마을별 나무 수를 조사하여 그림그래프로 나타내었습니다. 다 마을의 나무 수는 나 마을의 나무 수보다 24그루 적고 네 마을의 나무 수의 합은 107그루입니다. 그림그래프를 완성해 보세요.

마을별 나무 수

마을	나무 수
가	🌳🌳🌳🍀🍀🍀🍀🍀
나	🌳🍀🍀🍀🍀🍀🍀🍀🍀🍀🍀🍀🍀
다	🌳🌳
라	🌳🌳🌳🍀🍀🍀🍀🌳

🌳10그루 🍀1그루

❖ 다 마을의 나무 수를 □그루라 하면 나 마을의 나무 수는 (□+24)그루입니다.
➡ 34+□+24+□+25=107, □+□+83=107, □+□=24, □=12
따라서 나 마을의 나무 수는 12+24=36(그루), 다 마을의 나무 수는 12그루입니다.

3 민주는 농장별 소의 수를 조사하여 그림그래프로 나타내었습니다. 사랑 농장의 소의 수는 빛나 농장의 소의 수의 반이고 네 농장의 소의 수의 합은 105마리입니다. 그림그래프를 완성해 보세요.

농장별 소의 수

농장	소의 수
사랑	🐄🐄🐄🐄🐄🐄
소망	🐄🐄🐄🐄🐄🐄🐄🐄🐄
빛나	🐄🐄🐄
풍성	🐄🐄🐄🐄🐄

🐄10마리 🐄1마리

❖ 사랑 농장의 소의 수를 □마리라 하면 빛나 농장의 소의 수는 (2×□)마리입니다.
➡ □+28+□×2+32=105, □×3+60=105, □×3=45, □=15
따라서 사랑 농장의 소의 수는 15마리, 빛나 농장의 소의 수는 15×2=30(마리)입니다.

6. 자료의 정리·107

사고력 종합 평가

정답과 풀이 27쪽

[1~3] 병철이네 반 학생들이 배우고 싶은 운동을 조사하였습니다. 조사한 자료를 보고 물음에 답하세요.

배우고 싶은 운동

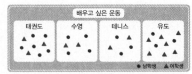

태권도 수영 테니스 유도

● 남학생 ▲ 여학생

1 조사한 자료를 보고 표를 완성해 보세요.

배우고 싶은 운동별 학생 수

운동	태권도	수영	테니스	유도	합계
여학생 수(명)	3	2	2	7	14
남학생 수(명)	6	4	3	3	16

2 가장 많은 여학생이 배우고 싶은 운동은 무엇일까요?
(**유도**)
❖ 7>3>2이므로 가장 많은 여학생이 배우고 싶은 운동은 유도입니다.

3 조사에 참여한 남학생은 여학생보다 몇 명 더 많은지 구해 보세요.
(**2명**)
❖ (여학생 수의 합)=3+2+2+7=14(명)
(남학생 수의 합)=6+4+3+3=16(명)

108·Jump 3-2 ➡ 16-14=2(명)

[4~6] 혜정이네 아파트 단지별 자동차 수를 조사하여 그림그래프로 나타내었습니다. 물음에 답하세요.

아파트 단지별 자동차 수

단지	자동차 수
1	🚗🚗🚗🚙🚙🚙🚙🚙🚙🚙🚙
2	🚗🚗🚗🚗🚙🚙🚙
3	🚗🚗🚗🚗🚗🚗🚙
4	🚗🚗🚗🚙🚙🚙🚙

🚗10대 🚙1대

4 혜정이네 아파트에 있는 자동차는 모두 몇 대인지 구해 보세요.
(**176대**)
❖ 1단지: 38대, 2단지: 43대, 3단지: 61대, 4단지: 34대
➡ 38+43+61+34=176(대)

5 자동차 수가 가장 많은 단지는 어느 곳인지 써 보세요.
(**3단지**)
❖ 61>43>38>34이므로 3단지가 가장 많습니다.

6 2단지의 자동차 수는 4단지의 자동차 수보다 몇 대 더 많은지 구해 보세요.
(**9대**)
❖ 2단지: 43대, 4단지: 34대
➡ 43-34=9(대)

6. 자료의 정리·109

사고력 총합 평가

정답과 풀이 28쪽

[7~10] 어느 아파트의 동별 소화기 수를 조사하여 그림그래프로 나타내었습니다. 가 동의 소화기 수는 다 동의 소화기 수의 3배이고 4개 동의 소화기의 수의 합은 110개입니다. 물음에 답하세요.

동별 소화기 수

동	소화기 수
가	
나	
다	
라	

🧯 10개
🧯 1개

7 다 동의 소화기 수를 구해 보세요.

(**11개**)

❖ 다 동의 소화기 수를 □개라 하면 가 동의 소화기 수는 (□×3)개입니다.
➡ □×3+41+□+25=110, □×4+66=110,
　□×4=44, □=11

8 가 동의 소화기의 수를 구해 보세요.

(**33개**)

❖ 11×3=33(개)

9 그림그래프를 완성해 보세요.

10 소화기 수가 가장 많은 동과 가장 적은 동의 소화기 수의 차를 구해 보세요.

(**30개**)

❖ 가 동: 33개, 나 동: 41개, 다 동: 11개, 라 동: 25개
110 · Jump 3-2 　➡ 41−11=30(개)

[11~13] 오염된 물 100 mL를 정화하는 데 필요한 물의 양을 조사하여 표로 나타내었습니다. 물음에 답하세요.

오염된 물 100 mL를 정화하는 데 필요한 물의 양

음식	식용유	우유	커피	라면 국물	합계
물의 양(L)	2700	3800	1440	370	8310

11 그림그래프로 나타낼 때 단위를 각각 얼마로 나타내면 좋을지 써 보세요.

🍶 (예 **1000 L**), 🥛 (예 **100 L**), 🧴 (예 **10 L**)

❖ 필요한 물의 양을 몇천몇백몇십 리터로 나타내었으므로 🍶를 1000 L, 🥛를 100 L, 🧴를 10 L로 나타내면 좋습니다.

12 오염된 물을 정화하는 데 가장 많은 양의 물이 필요한 음식을 써 보세요.

(**우유**)

❖ 3800>2700>1440>370이므로 가장 많은 양의 물이 필요한 음식은 우유입니다.

13 표를 보고 그림그래프를 완성해 보세요.

오염된 물 100 mL를
정화하는 데
필요한 물의 양

예
식용유	
우유	
커피	
라면 국물	

🍶 예 1000 L
🥛 예 100 L
🧴 예 10 L

6단원

6. 자료의 정리 · 111

사고력 총합 평가

정답과 풀이 28쪽

[14~16] 혜미는 ㉮, ㉯, ㉰, ㉱, ㉲, ㉳ 마을의 가게 수를 조사하여 그림그래프로 나타내었습니다. 도로의 위쪽 마을의 가게 수의 합이 42개일 때 물음에 답하세요.

마을별 가게 수

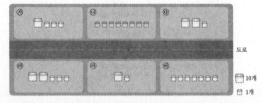

도로

📦 10개
📦 1개

14 ㉯ 마을의 가게 수를 구하여 그림그래프를 완성해 보세요.

❖ (㉯ 마을의 가게 수)=42−13−21=8(개)

15 도로의 아래쪽 마을의 가게 수의 합은 몇 개인지 구해 보세요.

(**41개**)

❖ 23+11+7=41(개)

16 도로의 위쪽 마을과 아래쪽 마을의 가게 수를 같게 하려고 합니다. ㉱~㉳ 마을 중 어느 마을에 가게를 몇 개 더 만들면 좋을지 차례로 써 보세요.

(예 ㉳ 마을), (**1개**)

❖ 도로의 위쪽과 아래쪽 마을의 가게 수의 차가 42−41=1(개)이므로 도로의 아래쪽에서 가게 수가 가장 적은 ㉳ 마을에 가게를 1개 더 만드는 것이 좋습니다.

112 · Jump 3-2

[GO! 매쓰]
수고하셨습니다.

누구나
쉽고 재미있게
시작하는

노크
시리즈

사고력 수학 노크(총 40권)

PA단계(8권)
7~8세 권장

A단계(8권)
8~9세 권장

B단계(8권)
9~10세 권장

C단계(8권)
10~11세 권장

D단계(8권)
11~12세 권장

························· 영역별 구성 ·························

창의력과 **사고력**이
쑥쑥 자라는 수학 전문서

 실생활 소재로 수학의 흥미와 관심 UP!

 다양한 유형의 창의력 문제 수록

 융합적 사고력을 높여주는 구성

 초등 수학과 연계

GO! 매쓰

 GO! ♥

수학 3-2

정답과 풀이

Jump

GO!

유형 사고력

Run

GO!

교과서 사고력

Start

GO!

교과서 개념